圖書文獻學論集

胡楚生著

臺灣 學生書局 印行

自敘

民國四十六年，我考進東吳大學中文系就讀，當時學校仍在漢口街與博愛路上課，都市之中，雖然喧囂，但是，下課之後，步行幾分鐘，重慶南路就在附近，路上書店林立，像中華書局、世界書局、商務印書館等，都是經常佇足其中，翻閱書籍，增廣知識的好所在，加以鄰近不遠之處，南海路上的中央圖書館，擁有全套的萬有文庫、四部叢刊、叢書集成，也是經常前往閱覽的好地方，只是，那時的閱讀方式，不免是貪多務得，活剝生吞，經眼者雖多，消化者實少，對於知識作有系統的吸收，更談不到，後來讀書較多，稍知入門，才感覺到，在當時的瀏覽中，如果能夠接觸到一些目錄版本圖書文獻的書籍，得到一些基本方向的指引，也許可以減少一些摸索的徑路。

民國五十年，大學畢業，隨即考進師範大學的國文研究所，當研究生，最大的好處，是可以直接進入圖書館的書庫，廣事閱覽，在研究所中，我曾修讀了蔣師慰堂的版本學，也跟從楊師家駱撰寫考證劉熙《釋名》的論文，蔣師曾經率領我們學生，參觀中央圖書館的善本珍藏，楊師也曾多次講授圖書文獻的利用方法。

民國五十五年，我應聘前往新加坡南洋大學任教，民國五十八年，屈師翼鵬前往南大擔任客座教授，講授目錄之學，我也得有機會，隨班旁聽，受益良多。

民國六十年左右，我開始撰寫有關目錄學的研究論文，民國六十八年，返國之後，任教於中興大學，並由華正書局出版了《中國目錄學研究》一書，由於撰寫目錄學的論文，接觸到的文獻資料較廣，在學術的研究上，也更加體會到古人所說的由博返約的意義。

民國九十年七月，我自中興大學退休，承蒙東吳大學校長劉源俊先生及中文系主任許清雲教授的邀約，使我能有機會回到母校，擔任客座教授，睽別母校多年，重又回到熟悉的校園，重又得與許多老友們相聚，重又拾回當年的許多記憶，心中也格外有著親切與溫馨的感覺。

頻年以來，撰寫了一些有關圖書文獻方面的文章，略加編次，集結成帙，回憶當年自己在讀書時所走過的一些曲折道路，想到這些文章，如果能對青年朋友們的讀書究學，產生一點引領的作用，那將是我最感高興的事情。

中華民國九十年十月　**胡楚生** 識於東吳大學中文系

圖書文獻學論集

目　次

從目錄學進入中華學術殿堂

一、引　言

研究傳統學術，從目錄學入手，是一條非常穩妥的道路。

傳統的目錄書籍，大約可以分爲史志目錄、官修目錄、私家目錄幾種。史志目錄如《漢書·藝文志》和《隋書·經籍志》、官修目錄如《崇文總目》和《四庫全書總目提要》、私家目錄如《郡齋讀書志》和《直齋書錄解題》等等。這些目錄書籍，不但記錄了某些時代的圖書狀況，同時，也反映了那些時代的學術內容，正好可以引導讀者，去了解傳統學術，進而研究傳統學術。

傳統的目錄書籍中，除了「書目」的「分類」之外，往往還有「篇目」、「提要」和「小序」的體制。「篇目」一體，從漢代以後，已經極少出現在目錄書中，可是，我們仍然可以藉著目錄書中的其他體制，去了解及研究傳統學術。

二、從目錄書中的「分類」去了解學術的整體面貌

目錄書中的「書目分類」，像《漢書·藝文志》的六分法，《隋

書·經籍志》的四分法，不只是書目的分類，也顯示了當時學術的流派，例如《漢書·藝文志》分爲：

六藝略：分易、書、詩、禮、樂、春秋、論語、孝經、小學九小類。

諸子略：分儒、道、陰陽、法、名、墨、縱橫、雜、農、小說十小類。

詩賦略：分屈原等賦、陸賈等賦、孫卿等賦、雜賦、歌詩五小類。

兵書略：分權謀、形勢、陰陽、技巧四小類。

數術略：分天文、曆數、五行、蓍龜、雜占、形法六小類。

方技略：分醫經、經方、房中、神仙四小類。

《漢書·藝文志》將當時所有的「書目」，分爲六大類三十八小類，不只是漢代以前學術思想著述的總記錄，同時，也可以使讀者認識到漢代以前學術思想著述的總面貌。至於《隋書·經籍志》將當時所有的「書目」，分爲經、史、子、集四大類，以及三十六小類，自然也可以使讀者了解到隋唐以前學術思想著述的總面貌。

三、從目錄書中的「小序」去了解學術的變遷情況

目錄書中往往有「大序」、有「小序」，「大序」所敘述的學術流變情況，範圍較大。「小序」所敘述的學術流變情況，範圍較小，讀者也易於把握，例如《漢書·藝文志》中諸子略的「小序」，

敘述了九流十家的學術流別，下面僅舉儒家類的「小序」爲例：

> 儒家者流，蓋出於司徒之官，助人君，順陰陽，明教化者也，游文於六經之中，留意於仁義之際，祖述堯舜，憲章文武，宗師仲尼，以重其言，於道最爲高，孔子曰：「如有所譽，其有所試。」唐虞之隆，殷周之盛，仲尼之業，已試之效者也，然惑者既失精微，而辟者又隨時抑揚，違離道本，後進循之，是以五經乖析，儒學寖衰，此辟儒之患。

《漢書·藝文志》諸子略儒家類的「小序」，敘述了西漢以前儒家學術的思想淵源，優劣得失，如果讀者再擇取《隋書·經籍志》和《四庫全書總目提要》子部儒家類的「小序」，將三種「小序」，貫串先後，則漢代以前、唐代以前、清代以前的儒學流變，以至於整個「儒家」學術思想的發展歷史，便可以清晰地加以理解。

四、從目錄書中的「提要」去了解典籍的個別內容

目錄書中往往有「提要」的體制，「提要」是針對書目中每一本典籍的內容，作出詳細的解說與考證，因此，讀者在閱讀典籍之前，先行閱讀該一典籍的「提要」，則對典籍的內容得失，可以了然於心，以此作爲指引，也可以極深研幾，作更進一步的探究，例如《四庫全書簡明目錄》在經部易類《周易註》下說道：

> 魏王弼註，其〈繫辭〉以下，則韓康伯註也，漢氏易學皆明象數，至弼始黜象數而言義理，足以糾讖緯之失，而語涉老莊，亦開後來玄虛之漸。

又在經部詩類《毛詩本義》下說道：

> 宋歐陽修撰，自唐定《五經正義》以後，與毛鄭立異同者，自此書始。然修不曲徇二家，亦不輕詆二家，大抵和氣平心，以意逆志，故其所說，往往得詩人之本旨。

透過《四庫全書簡明目錄》的評介，讀者對於《周易註》和《毛詩本義》的內容，當可有著重點的了解，其實，《四庫全書簡明目錄》二十卷，是由《四庫全書總目提要》二百卷凝縮而成，篇幅也只佔《四庫全書總目提要》的十分之一，如果讀者進而檢索《四庫全書總目提要》中關於《周易註》及《毛詩本義》的評論意見，其內容自然將更爲豐富，對於讀者的幫助也將更爲廣大。

五、結　論

人們如果希望去了解傳統學術，進而去研究傳統學術，自然可以閱讀「國學概論」或「國學導讀」一類的書籍，去作認識，不過，經由「目錄學」的書籍入手，也不失爲是一條更爲全面和更爲直接的途徑，有志於研究傳統學術的青年們，不妨對此途徑多加借助。

（此文原刊載於《國文天地》十四卷五期，民國八十七年十月出版）

《漢書·藝文志》與《隋書·經籍志》比勘舉例

一、引 言

《漢書·藝文志》爲現存最早之史志書目，《隋書·經籍志》乃確立四部分類之重要簿錄，〈漢志〉有六藝、諸子、詩賦、兵書、數術、方技等六略，〈隋志〉分經、史、子、集爲四部，漢隋二志，分類雖不盡同，然其分類，皆以學術性質爲主，此則相同者也❶，《漢書》及《隋書》，雖皆爲斷代之史，而〈藝文志〉及〈經籍志〉，因記錄圖書之沿革變遷，其勢不能專以斷代爲限，是以〈藝文志〉記載西漢以前之典籍，〈經籍志〉記載隋唐以前之典籍❷，且史志所記錄者，雖爲書籍，而書籍代表學術，有此一類學術，斯有此一

---

❶ 圖書分類，固亦可以有多種標準，例如出版年月，入藏先後，書冊款式，筆劃區別，字母順序等等，然仍以學術性質之標準，最爲妥善。

❷ 〈隋志〉著錄書籍，雖以梁陳齊周隋等五代爲主，然於前此所存之書籍，亦一併著錄，〈隋志·總序〉云：「今考見存，分爲四部。」《史通·書志篇》亦謂〈隋志〉：「廣包眾作。」張鵬一《隋書經籍志補·序》云：「兩漢魏晉之書，並列其中。」皆可爲證。

類書籍，故我國唐代以前之學術面貌，亦可自《漢書·藝文志》及《隋書·經籍志》中，窺見一斑，茲取漢隋二志❸，分門別類，互作比勘，則由較量異同之中，亦可以察知典籍之聚散現象，學術之盛衰消息，以下，即就比勘所得，略記其例，以發其凡。

二、舉　例

1.考察書籍之散佚亡失

舉凡〈漢志〉所有之書，迄於〈隋志〉而未嘗著錄者，其書當已散佚亡失。

例如〈漢志〉六藝略易類有「易傳：周氏二篇，服氏二篇，楊氏二篇，蔡公二篇，王氏二篇，丁氏八篇」，書類有「歐陽章句三十一篇」，「大小夏侯章句各二十九卷」，「大小夏侯解故二十九篇」，「劉向五行傳記十一篇」，禮類有「軍禮司馬法百五十五篇」，「封禪議對十九篇」，春秋類有「左氏微二篇」，「鐸氏微三篇」。

又如〈漢志〉諸子略儒家有「景子三篇」、「魏文侯六篇」，道家有「伊尹五十一篇」、「老萊子十六篇」，法家有「李子三十二篇」、「申子六篇」，名家有「惠子一篇」、「黃公四篇」、「毛公九篇」，墨家有「尹佚二篇」、「田俅子三篇」，縱橫家有「蘇子三十一篇」、「蒯子五篇」，雜家有「伍子胥八篇」、「東方朔二十篇」，小說家有「伊尹說二十七篇」、「鬻子說十九篇」。

---

❸ 此據世界書局印行之《新校漢書藝文志》及《新校隋書經籍志》。

又如〈漢志〉兵書略權謀類有「范蠡二篇」、「龐煖三篇」、「韓信三篇」，形勢類有「魏公子二十一篇」、「項王一篇」，陰陽類有「神農兵法一篇」，技巧類有「李將軍射法三篇」。

以上諸書，〈隋志〉皆不見著錄，則在隋唐以前，前述各書，大抵均已散佚亡失，從可知也。

2.考察書籍之眞僞疑似

舉凡西漢以前之書，其作者生於西漢以前，〈漢志〉未見著錄，至於〈隋志〉，反更出現者，則其書之眞僞，多有可加懷疑之處。

例如〈隋志〉經部易類有「歸藏十三卷」，「周易二卷」，注謂「魏文侯師卜子夏傳」，春秋類有「春秋繁露十七卷」，注謂「漢膠西相董仲舒撰」，「春秋決事十卷」，注謂「董仲舒撰」，論語類有「孔叢七卷」，注謂「陳勝博士孔鮒撰」。

又如〈隋志〉史部雜史類有「周書十卷」，注謂「汲冢書，似仲尼刪書之餘」，「越絕記十六卷」，注謂「子貢撰」，舊史類有「漢武帝故事二卷」，雜傳類有「關令內傳一卷」，注謂「鬼谷先生撰」，起居注類有「穆天子傳六卷」，注謂「汲冢書」。

又如〈隋志〉子部縱橫家有「鬼谷子三卷」，注謂「鬼谷子，周世隱於鬼谷」，小說家有「燕丹子一卷」，注謂「丹，燕王喜太子」，兵家有「太公六韜五卷」，注謂「周文王師姜望撰」，「太公陰謀一卷」，「太公兵法六卷」，「黃石公三略三卷」，注謂「下邳神人撰」，「黃石公三奇法一卷」，「黃石公兵書三卷」。

上舉諸書，作者皆屬西漢以前之人，而班固〈漢志〉，未加收錄，及至唐初，〈隋志〉反爲之著錄，則此類書籍，其眞僞多有可加懷疑者也。

3.考察篇卷之離合殘缺

書籍數量之稱呼，漢唐兩代，頗不相同，〈漢志〉多用篇名，〈隋志〉多以卷稱，至於同一書籍，自漢至唐，篇卷數目，或不盡同，有合兩篇爲一卷者，亦有析一卷爲兩篇者，要其篇卷，理當相距不應過遠，設若同一書籍，漢隋二志，皆加著錄，而其篇卷，相差過巨，則其書之內容，如非有所殘缺，則疑有後人增多附益者在也。

例如「子思」一書，〈漢志〉諸子略儒家著錄二十三篇，〈隋志〉子部儒家著錄七卷，「曾子」一書，〈漢志〉諸子略儒家類著錄十八篇，〈隋志〉子部儒家著錄二卷，「公孫尼子」一書，〈漢志〉諸子略儒家著錄二十八篇，〈隋志〉子部儒家著錄一卷，「魯仲連子」一書，〈漢志〉諸子略儒家類著錄十四篇，〈隋志〉子部儒家著錄五卷，「陸賈」一書，〈漢志〉諸子略儒家類著錄二十三篇，〈隋志〉子部儒家著錄二卷，「賈誼」一書，〈漢志〉諸子略儒家著錄五十八篇，〈隋志〉子部儒家著錄十卷，「文子」一書，〈漢志〉諸子略道家著錄九篇，〈隋志〉子部道家著錄十二卷，「鶡冠子」一書，〈漢志〉諸子略道家著錄一篇，〈隋志〉子部道家著錄三卷，「鬻子」一書，〈漢志〉諸子略道家著錄二十二篇，〈隋志〉子部道家著錄一卷，「愼子」一書，〈漢志〉諸子略法家著錄四十二篇，〈隋志〉子部法家著錄十卷，「尹文子」一書，〈漢志〉諸子略名家著錄一篇，〈隋志〉子部名家著錄二卷，「墨子」一書，〈漢志〉諸子略墨家著錄七十一篇，〈隋志〉子部墨家著錄十五卷，

「隨巢子」一書，〈漢志〉諸子略墨家著錄六篇，〈隋志〉子部墨家著錄一卷，「氾勝之」一書，〈漢志〉諸子略農家著錄十八篇，〈隋志〉子部農家著錄二卷，「吳孫子兵法」一書，〈漢志〉兵書略權謀類著錄八十二篇，〈隋志〉子部兵家著錄二卷，「吳起」一書，〈漢志〉兵書略權謀類著錄四十八篇，〈隋志〉子部兵家著錄一卷。

以上所舉諸書，漢隋二志所錄，篇卷之間，相差似不應過於遼遠，其相差甚遠者，如〈漢志〉著錄較多，而〈隋志〉著錄較少者，則其書當有殘缺部分，如〈漢志〉著錄較少，而〈隋志〉著錄反較多者，則其書必有後人附益部分，欲求其詳，自必每一種書，細加考究，此則姑爲舉例，略明趨向而已。

4.考察書名之異同改變

西漢以前之書，經常以人名爲書名，西漢以後，逐漸更易，書名或有改變者，此其差異，有時雖易於了然，有時則不免疑誤，易以同一書籍，視爲不同之兩書也，此其例也，比勘史志，往往有之。

例如〈漢志〉六藝略禮類有「記百三十一篇」，〈隋志〉經部禮類已改稱「禮記」與「大戴禮記」，〈漢志〉六藝略春秋類有「太史公百三十篇」，〈隋志〉史部正史類已改稱「史記」，〈漢志〉諸子略儒家有「晏子」一書，〈隋志〉子部儒家已改稱「晏子春秋」，〈漢志〉諸子略儒家有「魯仲連子」一書，〈隋志〉子部儒家已改稱「魯連子」，〈漢志〉諸子略儒家有「陸賈」一書，〈隋志〉子部儒家已改稱「新語」，〈漢志〉諸子略儒家有「賈誼」一書，〈隋志〉子部儒家已改稱「賈子」，〈漢志〉諸子略法家有「商君」一書，〈隋志〉子部法家已改稱「商君書」，〈漢志〉諸子略名家類有「鄧析」一書，〈隋志〉子部名家已改稱「鄧析子」。

又如〈漢志〉兵書略權謀類有「吳起」一書，〈隋志〉子部兵家已改稱「吳起兵法」，〈漢志〉六藝略禮類有「軍禮司馬法」一書，〈隋志〉子部兵家已改稱「司馬兵法」。

又如〈漢志〉詩賦略有「屈原賦」一書，〈隋志〉集部已改稱「楚辭」，〈漢志〉詩賦略有「孫卿賦」一書，〈隋志〉集部別集類已改稱「楚蘭陵令荀況集」。

書名有所改易，常隨時代而轉移，此姑略舉其例，以見其餘，至於書名改易之原因，每一書籍，或不盡同，唯有每書各爲細察，始能得其眞相，於此文中，則不能詳也。

5.考察部居之分併出入

漢隋二志，其分別部類，頗有不同，〈漢志〉分爲六略，〈隋志〉分爲四部，大較而言，〈漢志〉中兵書、數術、方技三略，〈隋志〉併入子部之內，歷史載記，〈漢志〉附於六藝略春秋類末，〈隋志〉則別立史部，以收錄之，蓋分併之際，除學術性質遠近之外，書籍份量之爲多爲寡，亦部居分併之重要因素也。

至於漢隋二志之中，往往有同一書籍，在〈漢志〉中入於此類，至〈隋志〉又改入彼類者，似此種書籍之出入現象，若能善加利用，則亦可以從而探索學科與學科間之內在聯繫。

例如「管子」一書，〈漢志〉原著錄於諸子略道家之內，〈隋志〉改入子部法家，然則，先秦道家與法家之關係，由此一現象，似亦可以多加考量，而《史記》中老莊申韓合傳之原因，太史公所謂之「申韓卑卑，皆原於道德之意」者，似亦皆可以由「管子」一書，多作旁證而多資啓發者也。

又如「爾雅」及「小爾雅」二書，〈漢志〉原在六藝略之孝經類中，〈隋志〉改而入於經部論語類中，漢隋二志，並不以《爾雅》與《小爾雅》入於小學類中，此亦頗堪玩味者也。又如「史記」一書，〈漢志〉原附於六藝略之春秋類末，〈隋志〉改入史部正史類中，正史之名，由是而立，迄今不變，「戰國策」與「楚漢春秋」二書，〈漢志〉原在六藝略中春秋類末，〈隋志〉改而入之史部雜史類中，此則「正史」與「雜史」之區分現象，亦可藉比勘史志，有以見之也。

6.考察學術之沿革變遷

漢隋二志，每類之後，各有小序，即此漢隋二志，分門別類，比較其小序之內容，已可於此類學術之源流變遷，得其彷彿，至於小序之外，比勘漢隋二志同一門類之書目，亦可於此類學術之發展演進，得其大略焉。

例如「老子」之書，〈漢志〉著錄，僅有四種，而〈隋志〉著錄，已有十八種，通計亡佚之書三十種[4]，則共爲四十八種，數量爲漢志之十二倍，「莊子」之書，〈漢志〉著錄，僅有一種，〈隋志〉著錄，已有十九種，通計亡書六種，共爲二十五種，數量爲〈漢志〉之二十五倍，「周易」之書，〈漢志〉著錄，僅有十三種，〈隋

---

[4] 〈隋志〉於所錄書目之下，往往自注亡佚之書，每類之末，於總計現存書目卷數之外，兼亦通計亡佚之書。

志〉著錄，已有六十九種，通計亡書二十五種，共為九十四種，數量約為〈漢志〉之七倍，《老》、《莊》、《周易》，號稱三玄，自漢代以下，歷經魏晉，以迄五代，三玄之書，大量出現，此亦玄學清談之盛，所以使然，而比勘目錄，亦正可以反映此一現象也。

又如〈漢志〉六藝略春秋類末所附史書，自「國語」以迄「漢大年紀」，不過十一種，蓋上古史乘，六國寶書，歷經秦火，劫餘而僅存者，其數量已少之又少也，然自漢代以迄唐初，史書則大量出現，故〈隋志〉不得不專立一部，以收錄之也，故〈隋志〉史部之書，已達八百一十七種，通計亡書，共達八百七十四部，超過〈漢志〉，近八十倍矣，史籍之受人重視，由是可知。

又如〈漢志〉詩賦略中，所收各家詩賦，僅一百零六種，及至〈隋志〉集部所錄，已達五百五十四種，通計亡書，則共達一千一百四十六種，較之〈漢志〉，已超過十倍有餘，則自西漢以後，文風之盛，嚮慕者眾，自目錄比勘之中，亦可窺知一斑矣。

又如南北朝時，經學大盛，「義疏」之體，尤最流行，〈隋志〉經部之中，由五經以迄《孝經》《論語》，義疏之多，指不勝屈，從而可見一時之風尚與其趨向也，所惜義疏之作，存於今者，唯皇侃之《論語義疏》一書而已矣。

要之，自目錄比勘之中，覘見學術流別盛衰，不失為可行之途徑也。

三、結　語

漢成帝時，使謁者陳農，求遺書於天下，又詔由光祿大夫劉向，校經傳、諸子、詩賦，步兵校尉任宏，校兵書，太史令尹咸，校數術，侍醫李柱國，校方技，此亦校讎典籍之專業分工也❺，會向卒，哀帝復使向子劉歆，卒其父業，劉歆於是因其父之專業分工，而奏其《七略》，於是有六藝略、諸子略、詩賦略、兵書略、數術略、方技略，及至班固，因撰《漢書》，遂取《七略》，而刪其要，以爲史志，專存《七略》書目，以備篇籍，蓋自向歆父子以迄班固，部屬圖書，實皆以學術性質爲分類之標準也，此一方式，歷代沿承，遂亦不替，然而《漢書》以下，後漢、三國、晉、宋、齊、梁、陳諸史，皆並無史志，以記藝文，迄至唐初，纂修《隋書》，始更撰〈經籍志〉，仍依學術性質，別爲四部，以收錄公私庋藏，是以欲求縱觀我國唐代以前之圖書狀況，學術源流，則漢隋二志，實係最爲重要之依據，昔者，鄭漁仲嘗云：「類例既分，學術自明。」❻章實齋亦云：「辨章學術，考鏡源流。」❼皆欲假史志書目，而兼攝學術史之功能，此一理想，早在劉班之時，即已開始踐行，則目錄不僅記載書籍情況，兼亦反映學術面貌，此亦我國目錄學中，優良之傳統精神也，然而，鄭氏章氏所論，僅就單一之目錄書籍而言者也，茲篇所作，剌取漢隋二志，加以比勘，論其目的，則與鄭章二人所主張者，其精神效用，亦並無二致也。

（此文原刊載於《國立中興圖書館館刊》新二十卷二期，民國七十六年十二月出版）

---

❺ 參見拙著〈校讎通義『道器說』述評〉一文，載拙著《中國目錄學研究》一書。

❻ 見鄭氏《通志·校讎略》。

❼ 見章氏《校讎通義》。

三十年來臺灣學術界對於版本目錄學之研究概況

一、引　言

版本目錄之學，是研究學術的基礎，三十年來，臺灣地區的學術界，對於版本目錄學的研究，成果也頗爲豐碩，本文之作，即對此項成果，作一全面性的敘述，以便回顧過去，策勵將來。

本文寫作的範圍與體例，大致如下：

一、民國五十六年，《書目季刊》創刊，那一年，對於版本目錄學而言，大體上，是一個重要的分水嶺。因爲，在那之前，臺灣地區所出版的版本目錄學的論著，一則數量不多，二則坊間所出版的，也多數是一些舊著的翻印，新刊的論著，比較少見，民國五十六年以後，新刊的論著，才逐漸增多。

二、版本目錄學與版本、書目之間，雖然有著密切的關係，但是，卻也各有畛域，本文以「版本目錄學」爲討論範圍，對於純粹探討版本目錄學本身沿革、理論、內涵等問題的論著，方才加以敘述，至於各種版刻、書目，則不在本文討論範圍之內。

三、本文敘述三十年來關於「版本目錄學」的論著，略依論著初版印行時間的先後，加以次列，以見版本目錄之學發展的痕跡。

四、三十年來，各大學研究所中，研究生所撰著之博碩士論文，有關版本目錄之學者，不在少數，而多半未曾正式出版，爲全面了解三十年來，版本目錄學研究之情況，本文對於博碩士論文，亦據其學位通過時間之先後，依次著錄，加以介紹。

五、本文的敘述，以版本目錄學的專著爲限，單篇論文，暫不收錄。

本文之作，因個人所見有限，遺漏之處，當不能免，尚請讀者諸君諒之。

二、研究概況

1.《書目叢編敘錄》　喬衍琯著

民國五十六年九月，廣文書局初版。廣文書局輯印《書目叢編》，所收書目，大體上以具有解題、性質綜合、具獨立參考價値者爲準。書成之後，喬衍琯教授分別爲每一書目，各撰〈敘錄〉一篇，敘述該一書目之性質、分類、體制、版刻、功用等等，然後輯集爲《書目叢編敘錄》一書。

此書所收，計有《千頃堂書目》、《讀書敏求記校證》、《蕘圃藏書題識》、《蕘圃藏書題識續錄》、《曝書雜記》、《東湖叢記》、《滂喜齋藏書記》、《楹書隅錄》、《鐵琴銅劍樓藏書目錄》、《善本書室藏書志》、《藝風藏書記》、《宋元舊本書經眼錄》、《藏園群書題識》、《五十萬卷樓群書跋文》、《文祿堂訪書記》、

《拾經樓紬書錄》、《日本訪書志》、《經籍訪古志》、《書舶庸談》、《古文舊書考》等二十種書目之敘錄。

2.《書目續編敘錄》　喬衍琯著

民國五十七年四月，廣文書局初版。廣文書局繼《書目叢編》之後，復出版《書目續編》，喬衍琯教授亦爲是書撰爲《敘錄》。

此書所收，計有《崇文總目輯釋》、《郡齋讀書志》、《遂初堂書目》、《直齋書錄解題》、《內閣藏書目錄》、《天祿琳琅書目》、《百宋一廛賦注》、《皕宋樓藏書志》、《儀顧堂題跋》、《適園藏書志》、《群碧樓善本書目》、《寒瘦山房鬻存善本書目》、《善本書室藏書志簡目》、《刊正九經三傳沿革例》、《授經圖》、《經義考目錄》、《經義考補正》、《通志堂經解目錄》、《史略》、《子略》、《澹生堂藏書約》、《流通古書約》、《徵刻唐宋秘本書目》、《藏書紀要》等二十四種書目之敘錄。

3.《清代禁燬書目研究》　吳哲夫著

民國五十七年五月，國立政治大學中國文學研究所碩士論文，由王夢鷗教授指導而成。民國五十八年八月，嘉新水泥公司文化基金會初版。

此書共分六篇，第一篇帝王之禁錮文人思想，第二篇遭燬書籍內容之分析，第三篇清代禁燬之小說戲曲，第四篇清代禁書運動之高潮，第五篇清代禁燬書籍對後世之影響，第六篇結論。書末附有清代文字獄簡表、清代禁燬小說及劇本書目、清代禁燬書目索引。

4.《晁公武及其郡齋讀書志》　劉兆祐著

民國五十七年六月，國立臺灣師範大學國文研究所碩士論文，由屈萬里教授指導而成。民國五十八年六月，嘉新水泥公司文化基金會初版。

此書分爲六章，第一章晁公武之生平，第二章郡齋讀書志之版本，第三章郡齋讀書志之體例，第四章關於郡齋讀書志辨僞書部分之討論，第五章郡齋讀書志所著錄今世已佚之書，第六章郡齋讀書志之優點與缺點。書末附有引用參考書目。

5.《書目三編敘錄》　喬衍琯著

民國五十八年三月，廣文書局初版。廣文書局繼《書目續編》之後，復出版《書目三編》，喬衍琯教授亦爲是書撰爲《敘錄》。

此書所收，計有《別錄》、《七略》、《漢書藝文志補注》、《四史儒林文苑傳》、《文淵閣書目》、《世善堂藏書目錄》、《重編紅雨樓題跋》、《絳雲樓書目》、《述古堂書目》、《孫氏祠堂書目》、《平津館鑒藏書籍記》、《廉石居藏書記》、《文選樓藏書記》、《開有益齋讀書志》、《華延年室題跋》、《雙鑑樓善本書目》、《逅圃善本書目》、《湖錄經籍考》、《溫州經籍志》、《台州經籍志》、《大清畿輔書徵》、《小學考》等二十種書目之敘錄。

6.《書目四編敘錄》　喬衍琯著

民國五十九年八月，廣文書局初版。廣文書局繼《書目三編》

之後，復出版《書目四編》，喬衍琯教授亦爲是書撰爲《敘錄》。

此書所收，計有《八千卷樓書目》、《江南圖書館善本書目》、《江蘇省立國學圖書館圖書總目》、《盋山書影》、《鐵琴銅劍樓宋金元本書影》、《柳翼謀先生文錄》、《陶風樓藏清季江寧局署檔案目》、《陶風樓藏名人手札》、《陶風樓藏拓本影片目》、《陶風樓藏書畫目》等十種書目之敘錄。

7.《書目五編敘錄》　　張壽平著

民國六十一年八月，廣文書局初版。廣文書局繼《書目四編》之後，復出版《書目五編》，張壽平教授爲是書撰爲《敘錄》。

此書所收，計有《彙刻書目》、《續彙刻書目》、《觀古堂書目叢刻》、《郘亭知見傳本書目》、《崇雅堂書錄》、《國史經籍志》、《清史稿藝文志》、《莑滄葦書目》、《文瑞樓藏書目錄》、《稽瑞樓書目》、《中江尊經閣藏書目》、《日本國見在書目錄》、《銷燬抽毀書目》、《禁書總目》、《違礙書目》、《思適齋集外書跋輯存》、《方志商》、《四庫湖北先正遺書提要》、《續校讎通義》、《留眞譜初編》、《留眞譜二編》等二十種書目之敘錄。

8.《中國目錄學講義》　　昌彼得著

民國六十二年十月，文史哲出版社初版。此書係手寫影印，分爲上下兩篇，上篇爲敘論篇，分爲七章，第一章目錄釋名，第二章目錄學之意義，第三章目錄學之功用，第四章目錄學之淵源，第五章目錄學之體制，第六章論類例，第七章互著與別裁。下篇爲沿革篇，分爲八章，第一章七略時期之目錄（兩漢），第二章四部時期之目錄(魏晉),第三章七略四部互競時期之目錄(南北朝隋),第四章四部統一時期之目錄(唐),第五章部類試圖改革時期之目錄(宋迄明),第六章四部法由盛趨衰時期之目錄,第七章西洋分類法輸入後之目錄,第八章綜論。

9.《清修四庫全書之目錄學》　　許文淵著

民國六十四年五月,國立政治大學中國文學研究所碩士論文,由昌彼得教授指導而成。此書分為四章,第一章乾隆修書之動機,第二章乾隆之徵書,第三章乾隆之修書,第四章典藏與利用。書末附有廣州本與翻殿本總目題名異同表、四庫依據書本分類表、四庫依據書本統計表。

10.《漢書藝文志諸子略與兵書略通考》　　徐文助著

民國六十五年四月,廣東出版社初版。此書專門考訂《漢書·藝文志》「諸子」與「兵書」二略中之書籍內容,凡書籍中有關指要、存佚、衍脫、謬誤、篇卷、省略等各種情形,皆隨原書著錄次第,徵引資料,予以考訂,書末附有引用書目。

11.《鄭樵的校讎目錄學》　　鄭奮鵬著

民國六十五年十一月,學海出版社初版。此書分為五章,第一章鄭樵的生平,第二章鄭樵的著作,第三章鄭樵校讎目錄學的理論,第四章鄭樵校讎目錄學的實際,第五章結論——鄭樵校讎目錄學的評價和影響,書末附有引用及參考書目。

此書第三、四章,分別探討鄭樵所論圖書之採訪、分類、編目,以及〈藝文略〉之分類、體制、得失等，爲全書之重心所在。

12.《四庫全書薈要纂修考》　　吳哲夫著

民國六十五年十二月，國立故宮博物院初版。此書分爲七章，第一章《四庫全書薈要》纂修緣起，第二章參與《薈要》工作的人員，第三章《薈要》圖書依據的版本，第四章《薈要》的分目，第五章《薈要》書中的提要，第六章《薈要》的完成，第七章《薈要》的庋藏。書末附有《四庫全書薈要》聯句、《四庫全書薈要》凡例、《四庫全書薈要》簡略目錄。

13.《版本目錄學論叢》　　昌彼得著

民國六十六年八月，學海出版社初版。

此書分爲上下兩冊，上冊討論版本學之問題，計收〈談善本書〉、〈國立中央圖書館善本書志前言〉、〈元刊本膺品知見記〉、〈明藩刻書考〉、〈歷代版刻之演變〉、〈唐代圖書形制的演變〉、〈中國的印刷術〉、〈中國的版畫〉、〈美日訪書記〉、〈我國版本學上幾個有待研究的課題〉、〈說郛源流考〉、〈跋宋浙東茶鹽司本周禮注疏〉、〈跋宋乾道本宣和奉使高麗圖經〉、〈跋影宋北山錄〉、〈跋元坊刊本大元聖政國朝典章〉、〈中國圖書史略〉等十六篇論文。

下冊討論目錄學之問題，計收〈目錄釋名〉、〈目錄學的意義〉、〈目錄學的體制〉、〈互著與別裁〉、〈章實齋的目錄學〉、〈清代的目錄學〉、〈中國目錄學的源流〉、〈中國目錄學的特色〉、〈改革中國圖書分類之芻議〉、〈關於北平圖書館寄存美國的善本書〉、〈北平圖書館善本闕書目〉、〈祁承㸁及其在圖書目錄學上的貢獻〉等十二篇論文。

14.《士禮居黃氏學》　　封思毅著

民國六十七年二月，臺灣商務印書館初版。此書探討清人黃丕烈士禮居藏書之各種情況，引言與結語之外，分爲五章，第一章士禮居黃氏目錄學，第二章士禮居黃氏版本學，第三章士禮居黃氏校勘學，第四章士禮居黃氏學之影響，第五章士禮居黃氏學之評議。書末附有引用群籍簡稱一覽、書影。

15.《四庫著錄元人別集提要補正》　　劉兆祐著

民國六十七年二月，東吳大學中國學術著作獎助委員會初版。此書參稽史傳及歷代藏書目錄，補正四庫全書集部中元人別集提要之錯誤，其補正之書籍，計有劉秉忠《藏春集》、張養浩《歸田類稿》、方回《桐江續集》、楊公遠《野趣有聲畫》等九十九種。書末附有引用及參考書目、臺灣公藏元人別集善本聯合書目、元人珍本文集書影。

16.《中國書籍史話》　　葉松發著

民國六十七年十一月，白莊出版社初版。此書敘述書籍產生與演變之情況，內容與考古、歷史、版本、目錄之學皆有關係，書分六章，第一章綿延不斷的知識，第二章上古的古籍，第三章書籍材料的演變與發展，第四章中國書籍裝訂的演變，第五章書籍的毀滅與保存，第六章書籍的組成。書末附有圖版、重要參考書目。

17.《毛晉汲古閣刻書考》　周彥文著

民國六十九年四月，私立東海大學中國文學研究所碩士論文，由昌彼得教授指導而成。

此書討論明末清初毛晉汲古閣所刻書籍之情形，分爲上下兩篇，上篇爲總論，分爲四章，第一章緒言，第二章毛晉生平述略，第三章毛晉之刻書事業，第四章汲古閣刻本之評價。下篇爲刻書考，分爲五章，第一章經部，第二章史部，第三章子部，第四章集部，第五章附錄。書末附有主要參考書目、書影。

18.《中國目錄學研究》　胡楚生著

民國六十九年四月，華正書局初版。此書收入論文九篇，計有〈目錄家「互著說」平議〉、〈目錄家「別裁說」平議〉、〈張氏「漢書藝文志釋例」糾繆〉、〈隋書經籍志總序箋證〉、〈隋書經籍志述例〉、〈鄭樵論「七略」「漢志」語評議〉、〈校讎通義「道器說」述評〉、〈論章實齋「互著」「別裁」之來源〉、〈「四庫提要補正」與「四庫提要辨證」〉。

民國七十七年十月，此書再版，增收論文三篇，計有〈余氏「中國史學論文引得」平議〉、〈專科目錄之利用與編纂〉、〈「全國博碩士論文分類目錄」中有關「中國文史哲學論文」之分析〉。

19.《陳振孫學記》　喬衍琯著

民國六十九年六月，文史哲出版社初版。此書研究宋代目錄學家陳振孫之學術，緒言及結語之外，分爲五章，第一章傳略，第二章藏書，第三章著述，第四章《直齋書錄解題》，第五章學術思想。

書前有書影，書末附有參考書目、後記。

20.《明代中央政府刻書研究》　張　璉著

民國七十二年六月，私立中國文化大學中國文學研究所碩士論文，由吳哲夫教授指導而成。

此書分爲六章，第一章緒論，第二章明代中央政府圖書政策，第三章明代中央政府刻書，第四章明代中央政府圖書典藏及散佚情形，第五章明代中央政府刻書分析及其文化政策，第六章結論。書末附有明代中央政府刊刻之現存書目、書影。

21.《中國目錄學》　李曰剛著

民國七十二年八月，明文書局初版。此書分爲敘論、沿革、方法等三篇。敘論篇分爲六章，第一章釋名，第二章探原，第三章斷始，第四章界義，第五章體制，第六章派別。沿革篇分爲七章，自兩漢至於近代，每朝各爲一章，評述重要書目。方法篇分爲四章，第一章類例，第二章體質，第三章互著與別裁，第四章分類與編目。

22.《中國圖書文獻學論集》　王秋桂、王國良合編

民國七十二年九月，明文書局初版。此書分爲五輯，第一輯圖書之形製與典藏，第二輯目錄版本學，第三輯校勘考訂，第四輯類書與叢書，第五輯文獻學。此書第二輯中收有胡楚生之〈「四庫提要補正」與「四庫提要辨證」〉、梁容若之〈評「續修四庫全書提要」〉、喬衍琯之〈索引漫談〉。第四輯中收有吳哲夫之〈摛藻堂四庫全庫薈要〉、〈「宛委別藏」簡介〉，皆屬有關版本目錄學之

論文。

23.《近代藏書三十家》　　蘇　精著

民國七十二年九月，傳記文學出版社初版。此書敘述自清代末葉以來，三十位藏書家之藏書事蹟，其中涉及版本目錄學處甚多，所敘述之藏書家，有盛宣懷、葉昌熾、盧靖、李盛鐸、梁鼎芬、葉德輝、章鈺、宗舜年、張元濟、董康、鄧邦述、徐乃昌、丁祖蔭、陶湘、傅增湘、梁啓超、王克敏、丁福保、葉景葵、倫明、張壽鏞、莫伯驥、朱希祖、吳梅、陳群、鄭振鐸、潘承厚、潘承弼、張鈞衡、蔣汝藻、劉承幹等人。書末附有〈抗戰時秘密搜購淪陷區古籍始末〉、參考書目、索引。

24.《宋史藝文志史部佚籍考》　　劉兆祐著

民國七十三年四月，國立編譯館中華叢書編審委員會初版。此書分爲上下兩編，上編爲已佚而無輯本者，下編爲已佚而有輯本者，上下兩編，各自皆分爲正史、編年、別史、史鈔、故事、職官、傳記、儀注、刑法、目錄、牒譜、地理、霸史等十三類。書末附有宋史藝文志史部各書存佚表、宋史藝文志史部佚籍考書名作者綜合索引。

25.《鐵琴銅劍樓藏書研究》　　藍文欽著

民國七十三年五月，國立臺灣大學圖書館學研究所碩士論文，由昌彼得教授指導而成。民國八十年，漢美圖書有限公司印行，爲圖書學與資訊科學論文叢刊第二輯之一種。

此書探討清人瞿鏞鐵琴銅劍樓之藏書情況，引言與結論之外，分爲七章，第一章緒論，第二章瞿氏的家世與傳略，第三章藏書源流，第四章瞿氏藏書的徵集、整理和利用，第五章《鐵琴銅劍樓藏書目錄》概述，第六章《鐵琴銅劍樓藏書目錄》解題的分析，第七章後人利用《鐵琴銅劍樓藏書目錄》的情形。書末附有參考書目。

26.《玉海藝文部研究》　陳仕華著

民國七十三年五月，私立東吳大學中國文學研究所碩士論文，由劉兆祐教授指導而成，民國八十一年九月，臺灣商務印書館初版。

此書研究宋人王應麟《玉海》之〈藝文部〉，分爲六章，第一章王應麟之生平，第二章王應麟之考據學，第三章《玉海》之版本，第四章《玉海・藝文部》之體制，第五章《玉海・藝文部》之分類，第六章《玉海・藝文部》徵引文獻之討論。書末附有《玉海・藝文部》所載宋人史部著述目錄、參考書目。

27.《千頃堂書目研究》　周彥文著

民國七十四年四月，私立東吳大學中國文學研究所博士論文，由昌彼得教授指導而成。

此書研究清人黃虞稷所撰之《千頃堂書目》，全書於緒言之外，分爲七章，第一章黃氏父子生平事蹟編年彙考，第二章論《千頃堂書目》之成書背景及依據，第三章論《千頃堂書目》之傳本，第四章論《千頃堂書目》之體例，第五章論《千頃堂書目》之分類，第六章論《千頃堂書目》與《明史・藝文志》之淵源關係，第七章《千頃堂書目》之評價。書末附有重要參考書目。

28.《晚清藏書家繆荃孫研究》　　張碧惠著

民國七十四年五月，國立臺灣大學圖書館學研究所碩士論文，由潘美月教授指導而成。民國八十年，漢美圖書有限公司印行，爲圖書館學與資訊科學論文叢刊第二輯之一種。

此書於前言及結語之外，分爲六章，第一章繆荃孫的生平傳略，第二章繆荃孫重要交遊，第三章繆荃孫的著述，第四章繆荃孫刻書活動及圖書館事業，第五章繆荃孫的藏書，第六章繆荃孫藏書記。書末附有參考書目、書影、索引。

29.《從四庫全書探究明清間輸入之西學》　　計文德著

民國七十四年六月，私立中國文化大學中國文學研究所碩士論文，由吳哲夫教授指導而成。民國八十年，漢美圖書有限公司印行，爲圖書館學與資訊科學論文叢刊第二輯之一種。

此書探討《四庫全書》中外籍人士之著述，以見當時西學輸入之情況，全書分爲七章，第一章緒論，第二章明清西學輸入的背景與媒介，第三章《四庫全書》對西書的收錄，第四章《四庫全書》存目中著錄的西書，第五章《四庫全書》對西學輸入的反應，第六章西學輸入與我國學術的關係，第七章結論。書末附有參考書目、圖、表、書影。

30.《范氏天一閣藏書研究》　　蔡佩玲著

民國七十五年五月，國立臺灣大學圖書館學研究所碩士論文，由潘美月教授指導而成。民國八十年，漢美圖書有限公司印行，爲圖書館學與資訊科學論文叢刊之一種。

此書研究明人范欽天一閣藏書之有關問題，全書於緒論之外，分爲五章，第一章范欽的家世與傳略，第二章天一閣閣藏源流，第三章天一閣閣藏的價值，第四章天一閣書目考，第五章天一閣的建築與管理。書末附有參考書目、索引、書影。

31.《觀海堂藏書研究》　趙飛鵬著

民國七十五年五月，國立臺灣師範大學國文研究所碩士論文，由于大成教授指導而成。民國八十年，漢美圖書公司印行，爲圖書館學與資訊科學論文叢刊第二輯之一種。

此書研究清人楊守敬觀海堂藏書之有關問題，分爲六章，第一章緒論，第二章楊守敬的生平及藏書始末，第三章楊氏觀海堂藏書的現況，第四章觀海堂藏書的特色，第五章楊氏藏書題記的分析，第六章結論。書末附參考文獻表，另附有《日本訪書志》續補、《日本訪書志》錄異、《日本訪書志》補校記、楊守敬題跋編年表初稿。

32.《我國古代圖書典藏管理之研究》　李家駒著

民國七十五年五月，私立中國文化大學歷史研究所碩士論文，由吳哲夫教授指導而成。此書分爲七章，第一章緒論，第二章書材原料及製造方法與書籍傳承的關係，第三章各種書害因素，第四章古代對書害防治及典藏管理方法，第五章藏書的利用和刊布，第六章古今典藏管理方法的結合與應用，第七章結論。書末附有參考書目、書影，另附有歷代重要書籍著錄數量表、各重要城市季溫表、各重要城市濕度表。

33.《元代刻書研究》　　莫嘉廉著

民國七十五年六月，私立中國文化大學中國文學研究所碩士論文，由吳哲夫教授指導而成。此書分爲七章，第一章緒論，第二章元代的政府刻書，第三章元代的民間刻書，第四章元代的活字版印書與套色印書，第五章元代刻書之特色及特徵，第六章元代與印刷術東西傳之關係，第七章結論。書末附有參考書目。

34.《中國目錄學》　　昌彼得、潘美月著

民國七十五年九月，文史哲出版社初版。昌彼得教授於民國六十二年由文史哲出版社出版《中國目錄學講義》一書，此書即由該書改寫而成，並得潘美月教授之協助重新編定，全書改爲鉛字排印，分爲上下兩篇，上篇爲敘論篇，分爲七章，第一章目錄釋名，第二章目錄學的意義，第三章目錄學的功用，第四章目錄學的淵源，第五章目錄學的體制，第六章論類例，第七章互著與別裁。

下篇爲源流篇，分爲九章，第一章七略時期的目錄——兩漢，第二章四部時期的目錄——魏晉，第三章七略四部互競時期的目錄——南北朝隋，第四章四部統一時期的目錄——唐五代，第五章部類試圖改革時期的目錄㈠——宋代，第六章部類試圖改革時期的目錄㈡——元明，第七章四部法由盛趨衰時期的目錄——清代，第八章西洋分類法輸入後的目錄，第九章綜論。

35.《古書版本鑑定研究》　　李清志著

民國七十五年九月，文史哲出版社初版。此書分爲六章，第一

章鑑定法總論，第二章歷代版刻字體之研究，第三章歷代版刻版式之研究，第四章歷代印書紙墨之研究，第五章歷代寫刻書籍之避諱研究，第六章其他版本類型之鑑定法。書末附有明清著名鈔書家表、主要徵引書。

36.《宋代書目考》　喬衍琯著

民國七十六年四月，文史哲出版社初版。此書專門考察宋代之圖書目錄，緒言與結論之外，分爲四章，第一章官錄，第二章史志，第三章學科書目，第四章私藏書目。書末附有主要參考書目。

37.《清初藏書家錢曾研究》　湯　絢著

民國七十六年五月，國立臺灣大學圖書館學研究所碩士論文，由潘美月教授指導而成。民國八十年，漢美圖書有限公司印行，爲圖書館學與圖書資訊科學論文叢刊第二輯之一種。

此書於前言與結語之外，分爲七章，第一章錢曾的家世與生平，第二章錢曾的著述，第三章錢曾的重要交遊，第四章錢曾藏書聚散概況，第五章錢曾藏書的徵集、整理與利用，第六章錢曾的藏書目錄，第七章錢曾及其藏書目錄的評價。書末附有參考書目、書影。

38.《祁承㸁及澹生堂藏書研究》　嚴倚帆著

民國七十六年五月，國立臺灣大學圖書館學研究所碩士論文，由潘美月教授指導而成，民國八十年，漢美圖書有限公司印行，爲圖書館學與資訊科學論文叢刊第二輯之一種。

此書探討明人祁承㸁及其澹生堂藏書，於引言及結語之外，分爲六章，第一章緒論，第二章祁承㸁家世傳略，第三章澹生堂的藏書，第四章祁承㸁對圖書的搜集、整理及利用，第五章論祁承㸁在分類學上的成就，第六章論祁承㸁在編目學上的成就。書末附有祁承㸁及澹生堂事蹟編年、參考書目。

39.《焦竑及其國史經籍志研究》　李文琪著

民國七十六年五月，私立東海大學中國文學研究所碩士論文，由潘美月教授指導而成。民國八十年，漢美圖書有限公司印行，爲圖書館學與資訊科學論文叢刊第二輯之一種。

此書研究明人焦竑及其《國史經籍志》，緒言之外，分爲六章，第一章焦竑生平及其學術思想，第二章焦竑著述考，第三章《國史經籍志》成書背景依據與傳本，第四章《國史經籍志》之體例，第五章《國史經籍志》之分類，第六章《國史經籍志》之評價。書末附有主要參考書目、書影。

40.《孫星衍藏書研究》　劉　玉著

民國七十七年四月，私立東海大學中國文學研究所碩士論文，由潘美月教授指導而成。此書研究清人孫星衍之藏書問題，緒言與結論之外，分爲六章，第一章孫星衍的生平傳略，第二章孫星衍的著述，第三章孫星衍的刻書，第四章孫星衍的藏書，第五章孫星衍的書目與藏書記，第六章孫星衍藏書的貢獻。書末附有參考書目、書影。

41.《清丁丙及其善本書室藏書志研究》　沈新民著

民國七十七年五月，私立中國文化大學中國文學研究所碩士論文，由吳哲夫教授指導而成。民國八十年，漢美圖書有限公司印行，爲圖書館學與資訊科學論文叢刊第二輯之一種。

此書於前言及結論之外，分爲五章，第一章丁丙的家世傳略，第二章丁丙的生平及重要事蹟，第三章丁丙的著述與刻書，第四章丁丙的藏書，第五章《善本書室藏書志》的分析。書末附有參考書目。此書第五章，嘗論及《善本書室藏書志》及《八千卷樓書目》之關係。

42.《聊城海源閣藏書研究》　陳金英著

民國七十七年五月，私立東海大學中國文學研究所碩士論文，由潘美月教授指導而成。此書研究山東聊城楊以增、楊紹和等人海源閣之藏書情形，引言與結語之外，分爲六章，第一章爲楊氏的家世、傳略與著述刻書考，第二章藏書源流與兵燹之禍，第三章海源閣藏書的統計與今日之流散，第四章楊氏藏書的徵集、整理和利用，第五章《楹書隅錄》之成書及其傳本介紹，第六章《楹書隅錄》的體例及其評價。書末附有楊以增年譜、參考書目。

43.《清代藏書家張金吾研究》　王珠美著

民國七十七年六月，國立臺灣大學圖書館學研究所碩士論文，由潘美月教授指導而成。此書於引言與結論之外，分爲六章，第一章張金吾家世傳略，第二章張金吾經藏之善本書，第三章張金吾藏書之徵集與整理，第四章張金吾藏書之利用，第五章《愛日精廬藏書志》綜述，第六章《愛日精廬藏書志》之評價與影響。書末附有參考書目。

44.《四庫全書總目經部研究》　莊清輝著

民國七十七年七月，國立政治大學中國文學研究所碩士論文，由喬衍琯教授指導而成。此書分爲十一章，第一章緒論，第二章書名，第三章卷數，第四章撰者，第五章版刻，第六章辨僞，第七章批評與價值，第八章《四庫提要》經部之編撰體例，第九章《經義考》與《四庫提要》之關係，第十章《四庫全書》各種提要之比較，第十一章結論。書末附有四庫全書綜覽表、參考書目。

45.《傅增湘藏書研究》　趙惠芬著

民國七十七年六月，私立東海大學中國文學研究所碩士論文，由潘美月教授指導而成。此書分爲八章，第一章傅增湘家世傳略，第二章傅增湘的藏書，第三章圖書的徵訪與整理，第四章藏書的利用，第五章藏書的流傳，第六章藏園群書題記綜述，第七章藏園群書題記解題分析，第八章結語。書末附有傅氏捐給北京圖書館的藏書（藏園手校書）、傅氏捐給北京圖書館的藏書（藏園舊藏書）、據《藏園群書經眼錄》得知現藏北京圖書館之傅氏藏書、參考書目。

46.《歷代佛經目錄初探》　河惠丁著

民國七十七年六月，國立臺灣大學圖書館學研究所碩士論文，由昌彼得教授指導而成。此書分爲五章，第一章緒論，第二章佛經目錄之編製及存佚，第三章佛經目錄概況，第四章佛經目錄之體制與分類，第五章中國目錄學上之佛教典籍分類。另有結語。書末附有中國歷代佛經目錄一覽表、名辭解釋、參考書目。

47.《錢謙益藏書研究》　簡秀娟著

民國七十八年五月，國立臺灣大學圖書館學研究所碩士論文，由潘美月教授指導而成。民國八十年，漢美圖書有限公司印行，爲圖書館學與資訊科學論文叢刊第二輯之一種。

此書於引言與結論之外，分爲七章，第一章錢謙益傳略，第二章錢謙益之著述與禁燬，第三章錢謙益藏書聚散概況，第四章錢謙益藏書之徵訪、整理與利用，第五章《絳雲樓書目》之考證與分析，第六章錢謙益所撰題跋之分析，第七章錢謙益在圖書文獻史上之貢獻與影響。書末附有錢謙益生平事蹟繫年簡目、參考書目、書影。

48.《唐代佛書分類與現代圖書分類之比較研究》　莊耀輝著

民國七十八年五月，國立臺灣大學圖書館學研究所碩士論文，由潘美月教授指導而成。此書分爲六章，第一章緒論，第二章唐代佛書分類的起源與意義，第三章唐代佛書概況及其分類特質，第四章現代佛書分類概況與檢討，第五章《開元錄》的分類與現代佛書分類之比較，第六章結論與建議。書末附有參考書目。

49.《清末各省官書局之研究》　吳瑞秀著

民國七十八年六月，私立中國文化大學中國文學研究所碩士論文，由吳哲夫教授指導而成。此書於前言與結論之外，分爲五章，

第一章緒論，第二章各省官書局的成立，第三章各省官書局之經營，第四章局刻本的特色及其利用與流傳，第五章各省官書局之停辦與沒落。書末附有參考書目、現存臺灣各省局刻本書目、清代各省官書局分布圖、附表、書影。

50.《四庫全書纂修之研究》　　吳哲夫著

民國七十九年六月，國立故宮博物院初版。此書分爲十一章，第一章緒論，第二章民間藏書之搜求，第三章四庫全書館之組織暨人事管理，第四章《四庫全書》之編輯，第五章七閣《四庫全書》之完成暨異同，第六章《四庫全書》之重檢，第七章《四庫全書薈要》，第八章館燬禁圖書之內容分析，第九章《四庫全書》之價值，第十章《四庫全書》之缺點，第十一章餘論。

51.《徐乾學及其藏書刻書》　　陳惠美著

民國七十九年五月，私立東海大學中國文學研究所碩士論文，由潘美月教授指導而成。此書研究清人徐乾學及其藏書刻書之情形，引言及結語之外，分爲六章，第一章徐乾學的家世及生平事蹟彙編，第二章徐乾學的著述及其交遊，第三章徐乾學藏書之源流及散佚，第四章徐乾學的藏書目錄，第五章《通志堂經解》之刊刻與流傳，第六章《通志堂經解》的評價及影響。書末附有《四庫薈要》經部各類據《通志堂經解》本繕錄書目、參考書目、附表、書影。

52.《古籍重要目錄書析論》　　田鳳台著

民國七十九年十月，黎明文化事業股份有限公司初版。此書分爲八章，第一章《漢書藝文志》考疑，第二章《隋書經籍志》析例，第三章鄭樵目錄學析評，第四章馬端臨《經籍考》析論，第五章朱彝尊與《經義考》，第六章《四庫提要》析論，第七章《校讎通義》之商榷，第八章《書目答問》之紹評。書末附有參考書目。

53.《胡應麟及其圖書目錄學研究》　　謝鶯興著

民國八十年五月，私立東海大學中國文學研究所碩士論文，由潘美月教授指導而成。此書探究明人胡應麟及其圖書目錄學之問題，於引言與結論之外，分爲五章，第一章胡應麟的家世、年譜及其交遊，第二章胡應麟的著述考，第三章胡應麟的圖書徵集、藏書來源及藏書分類，第四章胡應麟的圖書目錄學，第五章胡應麟在圖書目錄學史上的成就。書末附有胡應麟友朋人名表、胡應麟友朋基本資料來源彙編、參考書目、書影。

54.《宋代藏書家尤袤研究》　　蔡文晉著

民國八十年十二月，私立東吳大學中國文學研究所碩士論文，由潘美月教授指導而成。此書於緒言與結論之外，分爲五章，第一章尤袤家世考，第二章尤袤生平事蹟考，第三章尤袤著述交友考，第四章《遂初堂書目》之體制及傳本，第五章尤袤之學術成就。書末附有參考書目。

55.《王獻唐先生之生平及其學術研究》　　丁原基著

民國八十二年六月，私立東吳大學中國文學研究所博士論文，由孔德成教授指導而成。此書於前言之外，分爲七章，第一章王獻唐先生之生平，第二章王獻唐先生之著述，第三章王獻唐先生之目錄版本學，第四章王獻唐先生之校讎學，第五章王獻唐先生之金石學，第六章王獻唐先生維護山東文獻之成就，第七章結論。書末附有引用及參考書目。

56.《陳振孫之生平及其著述研究》　　何廣棪著

民國八十二年十月，文史哲出版社初版。此書分爲七章，第一章序論,第二章陳振孫之先世與里貫,第三章陳振孫之仕履與行誼，第四章陳振孫之戚友與交游，第五章陳振孫之主要著作——《直齋書錄解題》，第六章陳振孫之其他著作，第七章結論。書末附有陳振孫著述年表、主要參考書籍及論文。

57.《葉德輝觀古堂藏書研究》　　蔡芳定著

民國八十年十一月，國立臺灣大學圖書館學研究所碩士論文，由潘美月教授指導而成。此書分爲六章，第一章緒論，第二章葉德輝傳略，第三章觀古堂藏書概述，第四章觀古堂藏書的探訪、整理與利用，第五章觀古堂藏書目錄與藏書題記概述，第六章觀古堂在圖書文獻史及版本目錄學之成就與影響。書末有結語，另附有參考書目、葉德輝藏書目錄藏書題記及代表著作書影。

58.《中韓兩國銅活字印刷之研究》　　權敬美著

民國八十二年十二月，國立臺灣大學圖書館學研究所碩士論文，由潘美月教授指導而成。此書分爲五章，第一章緒論，第二章銅活字印刷概述,第三章韓國銅活字印刷,第四章中國銅活字印刷，

第五章結論。書末附有參考書目、韓國銅活字印本目錄、中國銅活字印本目錄、韓國銅活字年表、圖片及書影、歷代朝鮮王朝年表。

59.《莫伯驥五十萬卷樓藏書研究》 劉振琪著

民國八十三年四月，私立東海大學中國文學研究所碩士論文，由潘美月教授指導而成。此書研究近人莫伯驥及其藏書之問題，於引言及結論之外，分爲五章，第一章莫伯驥的生平述略，第二章莫伯驥的藏書，第三章《五十萬卷樓藏書目錄》綜論，第四章《五十萬卷樓藏書目錄》解題分析，第五章《五十萬卷樓藏書目錄》的評價。書末附有參考書目、書影。

60.《孫星衍及其孫氏祠堂書目之研究》 王嘉龍著

民國八十三年六月，私立中國文化大學中國文學研究所碩士論文，由吳哲夫教授指導而成。此書研究清人孫星衍及其書目之問題，分爲七章，第一章緒論，第二章孫星衍的家世傳略與重要交遊，第三章孫星衍的著述與刻書，第四章《孫氏祠堂書目》之體例，第五章《孫氏祠堂書目》之分類，第六章孫星衍及《孫氏祠堂書目》之評價，第七章結論。書末附有參考書目、印記、圖表、書影。

61.《韓國朝鮮時代目錄之研究》 朴卿希著

民國八十三年六月，國立臺灣大學圖書館學研究所碩士論文，由潘美月教授指導而成。此書分爲五章，第一章緒論，第二章韓國目錄學之起源與發展，第三章朝鮮時代之目錄，第四章韓國朝鮮時代目錄之比較及評估，第五章結論。書末附有朝鮮時代四部分類一覽表、朝鮮時代非四部分類一覽表、朝鮮王氏世系、《奎章總目》與《閱古觀書目》之分類異同表、書影。

62.《新舊唐書藝文志研究》　　楊果霖著

民國八十三年六月，私立中國文化大學中國文學研究所碩士論文，由王三慶教授指導而成。此書分爲六章，第一章緒論，第二章外圍考證及介紹，第三章《隋書經籍志》與《舊唐書經籍志》之比較研究，第四章《舊唐書經籍志》與《新唐書藝文志》之比較研究，第五章《新舊唐志》的補訂及現存典籍之相關書目研究，第六章結論。書末附有參考書目。

63.《宋代福建書坊及私家刻書研究》　　黃明哲著

民國八十三年六月，國立臺灣大學圖書館學研究所碩士論文，由潘美月教授指導而成。此書分爲五章，第一章緒論，第二章宋代福建書坊及私家刻書之緣起與地區分布，第三章宋代福建書坊及私家刻書名錄與刻本，第四章宋代福建書坊及私家刻書之特色與形製特徵，第五章宋代福建書坊及私家刻書之評價及其文化貢獻。書末有結論，另附有參考書目、宋代福建書坊及私家刻書人名坊名索引、宋代福建書坊及私家刻書書名索引、圖版。

64.《鮑廷博知不足齋叢書之研究》　　蔡霏雯著

民國八十三年十二月，國立臺灣大學圖書館學研究所碩士論文，由潘美月教授指導而成。此書研究清人鮑廷博及其所刻叢書之問題，分爲七章，第一章緒論，第二章鮑廷博生平及其藏書刻書，

第三章《知不足齋叢書》之刊印，第四章《知不足齋叢書》之特色，第五章《知不足齋叢書》之價值及影響，第六章《知不足齋叢書》之存藏狀況，第七章結論。書末附有參考書目、書影。

65.《芥子園畫傳及其版本之研究》　郭惠美著

民國八十三年十二月，國立臺灣大學圖書館學研究所碩士論文，由潘美月教授指導而成。此書分爲六章，第一章緒論，第二章《芥子園畫傳》背景及源流，第三章《芥子園畫傳》的刊刻經過及作者介紹，第四章《芥子園畫傳》的內容介紹，第五章《芥子園畫傳》的版本考，第六章《芥子園畫傳》的貢獻及評價。書末有結論，另附有參考書目、附錄、圖錄。

66.《阮元輯書刻書考》　黃慶雄著

民國八十四年六月，私立東海大學中國文學研究所碩士論文，由潘美月教授指導而成。此書研究清人阮元之輯書刻書問題，分爲六章，第一章阮元傳略，第二章《經籍纂詁》之編刻，第三章《十三經注疏》之校刻，第四章《皇清經解》之輯刻，第五章其他輯刻書籍——經、史，第六章其他輯刻書籍——子、集。書末附有參考書目、書影。

67.《中國目錄學理論》　周彥文著

民國八十四年九月，學生書局初版。此書分爲十章，第一章緒論，第二章因書以設類的分類法，第三章四分法的定義及分類準則，第四章縱向轄屬與橫向聯繫，第五章部類的質變現象，第六章依附與因循依附，第七章標題法觀念的出現，第八章歷代書目在內容上的變異，第九章目錄學在先天上的限制，第十章結論。

此書以目錄學之理論爲研究對象，經由理論之研討，期使目錄學之研究領域，能夠突破目錄學史之範疇，並使目錄學可以超越工具性學術之性質，而成爲一門有詮釋意義之學科。

68.《中國目錄學》　胡楚生著

民國八十四年九月，文史哲出版社初版。此書分爲十章，第一章緒論，第二章校讎，第三章史志，第四章官簿，第五章私錄，第六章原理，第七章流別，第八章十進，第九章專科，第十章特種。書末附有中國歷代目錄要籍解題。

69.《明代蘇常地區出版事業之研究》　麥杰安著

民國八十五年五月，國立臺灣大學圖書館學研究所碩士論文，由潘美月教授指導而成。此書分爲五章，第一章緒論，第二章明代蘇常地區出版事業興起之時代背景，第三章明代蘇常地區私人集資出版事業，第四章明代蘇常地區營利性質出版事業，第五章明代蘇常地區出版事業的時代意義與文化影響。書末有結語，另附有參考書目、附圖、書影。

70.《四庫總目經部類敘疏證及其相關問題之研究》

曾聖益著

民國八十五年六月，國立政治大學中國文學研究所碩士論文，由吳哲夫教授指導而成。此書於前言與結論之外，分爲三篇，第一篇類敘正文疏證，第二篇《四庫全書總目》經部著錄原則析論，第三篇經部類敘論各經流變申論。書末附有經部總敘中經學家之傳略及其著述、參考書目。

三、結　語

對於三十年來，臺灣地區，版本目錄學研究的成果概略地敘述之後，個人有幾點想法，寫在下面：

第一，研究成果，在質與量上，都相當豐碩。從量方面而言，版本目錄之學，雖然是治學的基礎，但也畢竟是一門比較枯躁冷門的學問，而三十年來，臺灣地區，平均每年有兩種以上的專著出版，在份量上來說，已經是很難得了。其次，說到質的方面，這些著作，一般水準，在專業領域之內，也都相當可觀。

第二，版本目錄學的研究，三十年前的研究著述，通論性的較多，而這三十年來，則專論性的較多，這也顯示，由通論性的入門著作，進而到專題性的探討，鑽研愈深，水準也逐漸爲之提升。

第三，論著研究的範疇，已經逐漸擴大，由傳統的學術，逐漸擴充到域外、西學，以及純粹學理方面，成績都極爲可觀。

第四，在研究領導方面，人的因素，也極爲重要，幾位版本目錄學的專家，像昌彼得、喬衍琯、潘美月、吳哲夫、劉兆祐等教授，在各大學中授課，指導研究生，從而也產生了大批水準頗佳的博碩士論文，對於版本目錄學的研究，貢獻良多。

第五，博碩士論文，正式出版的，爲數仍少，像漢美圖書有限公司，出版了由昌彼得與胡述兆兩位教授所主編的「圖書館學與資訊科學研究論文叢刊」，在第二輯中印行了十部版本目錄學的碩士論文，對於推動版本目錄學的研究，作用極大，而爲數更多的版本目錄學博碩士論文，卻未曾正式出版，與廣大的讀者們見面，對於從事版本目錄學研究的人員而言，也是一種莫大的損失和不便，這些論文，如果都能輯印出來，則對於提升版本目錄學研究的水準，必將有一定程度的幫助。

附記：本文能夠完成，首先要感謝潘美月、吳哲夫、王國良三位教授，感謝他們在百忙之中，提供資料，商量此文體例，另外，彭正雄先生、陳仕華先生、翁碧玲小姐，也提供了不少資料，在此一併誌謝。

（此文原刊載於《書目季刊》三十卷四期，民國八十六年十月出版）

《書目季刊》三十一卷三期刊載喬衍琯教授〈「書目叢編」漫談〉一文，指出拙稿仍有遺漏之處，茲將喬教授所補充者轉錄於下，並對喬教授深致謝忱。另外，喬教授對於拙稿尚有批評分析意見，請讀者參看喬教授原文。

楚生　又識

《明代坊本考》陳昭珍撰，民國七十年臺灣大學圖書館學研究所碩士論文，昌彼得教授指導。

《隋書經籍志研究》許鳴鏘撰，民國七十三年臺灣師範大學國文研究所碩士論文，李曰剛教授指導。論文中於前人意見多加批駁而少加許可。

《中國書籍簡史》嚴文郁撰，民國八十一年臺灣商務印書館初版。嚴先生雖久居美國，然曾在輔仁大學圖書館系講學多年，本書正是結集教學時用的材料而成。

《天祿琳瑯書目藏書印章考》，賴福順撰，民國八十年文化大學出版社初版。天祿琳瑯於版本鑑別不精，所記藏書印章中有贗鼎，本書也少加考辨。不過藏印爲鑑定版本的一個旁證，而少有人專門論述。

《從傳統到現代中國版印技術之演變1600—1900》李貴豐撰，民國八十二年政治大學歷史研究所博士論文。論及版印技術之中西交替。

四十年來臺灣地區子部古籍校釋整理之成果及其檢討

一、引　言

四十年來，臺灣地區，對於古籍之校釋整理，曾經作出不少的貢獻，本文試就四十年來，子部古籍校釋整理之成果，作一敘述，然後再提出一些檢討的意見，以供參考。

本文的敘述，範圍與體例，大致如下：

1.本文所指的四十年，大約自民國40年（1951）至79年（1990）之間。

2.本文所稱之「校釋整理」，則以學人研究子書，對於古籍正文（包括部分古注），作出校勘、解詁、訓釋、箋注、集解、札記、輯佚等工作，爲其範圍，至於有關子書思想體系之闡釋、哲學要旨之發揮、特殊問題之探索等等，則不在本文討論的範圍之內。

3.本文之作，參考各種目錄索引，尋檢各類學報藏書，蒐集四十年來對於子部古籍校釋的成果，依其整理的形式，分爲「專書式」及「札記式」兩類，然後略依《漢書·藝文志·諸子略》中「九流十家」之分類，加以列次，至於性質相同的書籍，則依其撰成之先後，加以排列。

4.專書及札記的著錄方式，依照書名、篇名、作者、出版者、期刊名稱、初版印行時間，加以列出。（部分學位論文、國科會研究報告，未曾出版者，則注明其所屬學校及畢業年次、研究年次。）

5.本文所收，僅限對於子部古籍進行校釋整理之研究成果，坊間目前印行有關古籍之今注今譯，爲數頗多，其中亦有涉及「校釋」之部分者，以其內容重點，各有偏主，本文則限於體例，不加收錄。

6.本文所收各種著述，其作者部分，於前輩學者，則加先生之稱，其他學人，爲求簡省，概不稱呼。

7.四十年來，臺灣地區，校釋整理之子部古籍，爲數亦不在少，網羅齊全，勢不可能，掛一漏萬，自所不免，本文之作，於專書部分，力求其全，札記部分，則擷取其要，兩者配合，對於四十年來，臺灣地區校釋整理子部古籍之成果，或可窺見其大略。

二、成　果

甲、專書部分

儒　家

《荀子斠證》　阮廷卓　越秀山房自印本　48（1959）
《荀子假借字譜》　張亨　臺灣大學文史叢刊　52（1963）
《荀子通假文字考》　施銘燦　臺灣師範大學國研所　59（1970）
《荀子疑義輯釋》　饒彬　自印本　66（1977）
《荀子集釋》　李滌生先生　學生書局　68（1979）

《荀子正補》　劉文起　臺灣師範大學國研所　69（1980）
《荀子集解之通假研究》　陳智賢　中央大學中文所　80（1991）
《晏子逸箋》　邵太華　臺灣中華書局　62（1973）
《晏子春秋考辨》　陳瑞庚　長安出版社　69（1980）
《晏子春秋通假字集證》　王淑玟　文史哲出版社　69（1980）
《孔子家語校證》　楊衛中　臺灣大學中文所　58（1969）
《孔叢子斠證》　閻琴南　中國文化大學中文所　64（1975）
《陸賈新語校釋》　梁榮茂　國科會報告　55（1966）
《賈子新書校釋》　祁玉章　自行本　63（1974）
《說苑補正》　左松超　臺灣師範大學國研所　61（1972）
《新序校補》　施珂　臺灣大學文史叢刊　48（1959）
《新序校補》　梁榮茂　水牛出版社　60（1971）
《新序疏證》　蔡信發　臺灣師範大學國研所　64（1975）
《荀悅申鑒校釋》　梁榮茂　國科會報告　59（1970）
《論衡校證》　田宗堯　臺灣大學文史叢刊　52（1963）
《潛夫論校補》　梁榮茂　國科會報告　58（1969）
《潛夫論校證》　陳錫勇　文史哲出版社　66（1977）
《潛夫論集釋》　胡楚生　鼎文書局　68（1979）
《徐幹中論校注》　梁榮茂　國科會報告　56（1967）
《顏氏家訓彙注》　周法高先生　台聯國風出版社　64（1975）
《文中子中說考述》　劉巧玲　輔仁大學中研所　61（1972）
《王陽明傳習錄札記》　但衡今　臺灣商務印書館　46（1957）
《王陽明傳習錄注釋》　于清遠　黃埔出版社　47（1958）

道　家

《老子新讀》　倪直明　自印本　43（1954）

《老子章句新編纂解》　嚴靈峰先生　中華文化出版事業委員會　44（1955）

《老子道德經注》　王寒生　中國國教台北宗社　45（1956）

《老子道德經解》　方覺慧　中華叢書編審委員會　50（1961）

《老子會通》　葛連祥　健行印刷廠　54（1965）

《老子正解》　紀敦詩　臺灣商務印書館　57（1968）

《老子哲學新解》　胡汝章　王家出版社　57（1968）

《老子探義》　王淮　臺灣商務印書館　58（1969）

《老子易知解》　鄭曼青　臺灣中華書局　60（1971）

《老子達解》　嚴靈峰先生　藝文印書館　60（1971）

《老子河上公注斠理》　鄭成海　臺灣中華書局　60（1971）

《老子斠證譯釋》　張揚明　維新書局　62（1973）

《馬王堆帛書老子試探》　嚴靈峰先生　河洛出版社　65（1976）

《老子河上公注疏證》　鄭成海　華正書局　67（1978）

《老子新校》　鄭良樹　世界書局　67（1978）

《老子王弼注校訂補正》　李春　臺灣師範大學國研所　67（1978）

《帛書本老子校釋》　吳福相　中國文化大學中研所　68（1979）

《老子考述》　周次吉　文津出版社　75（1986）

《老子詮證》　李勉　東華書局　76（1987）

《老子釋義》　黃登山　學生書局　76（1987）

《帛書校王弼本老子章句字義新探》　鍾克昌　臺灣師範大學國研

所　79（1990）

《集訂南華發覆》　倪直明　自行本　47（1958）

《莊子通假文字考》　陳介山　中國文化大學中研所　53（1964）

《莊子淺說》　陳啓天　臺灣中華書局　60（1971）

《莊子天下篇疏證》　謝朝清　臺灣師範大學國研所　61（1972）

《莊子總論及分篇詳注》　李勉　臺灣商務印書館　62（1973）

《莊子內篇通義》　鄭琳　文津出版社　63（1974）

《莊子校詮》　王叔岷先生　中央研究院史語所專刊之88　77（1988）

《鶡冠子箋疏》　張金城　臺灣師範大學國研所　64（1975）

《尹文子辨證》　蒙傳銘　臺灣師範大學國研所集刊4　48（1959）

《文子集證》　于大成　臺灣大學中研所　51（1962）

《金樓子校注》　許德平　政治大學中研所　56（1967）

法　家

《增訂韓非子校釋》　陳啓天先生　臺灣商務印書館　58（1969）

《韓非子通假文字音義商榷》　王婉芳　輔仁大學中研所　73（1984）

《韓非子通假文字考證》　黃偉博　復文書局　74（1985）

《韓非子釋評》　朱守亮　五南圖書出版社　81（1992）

《愼子校注及其學說研究》　徐漢昌　輔仁大學中研所　62（1973）

《鹽鐵論析論與校補》　林平和　文史哲出版社　73（1984）

名　家

《公孫龍子講疏》　徐復觀先生　東海大學　55（1966）
《公孫龍子疏釋》　陳癸淼　蘭臺書局　59（1970）

墨　家

《墨子假借字集證》　周富美　臺灣大學文史叢刊　52（1963）
《墨辯新注》　李漁叔先生　臺灣商務印書館　57（1968）
《墨辯研究》　陳癸淼　學生書局　66（1977）
《墨子大取篇校釋》　閻崇信　文史哲出版社　66（1977）
《墨子非儒篇彙考》　閻崇信　文史哲出版社　66（1977）
《墨子小取篇集證及其辯學》　姚振黎　文史哲出版社　67（1978）
《墨子虛詞用法研究》　謝德三　學海出版社　73（1984）

雜　家

《呂氏春秋校補》　王叔岷先生　中央研究院史語所專刊33　39（1950）
《呂氏春秋校釋》　尹仲容　中華叢書委員會　47（1958）
《淮南子斠理》　鄭良樹　嘉新水泥公司　56（1967）
《淮南子校訂》　于大成　臺灣師範大學國研所　59（1970）
《風俗通義校注》　季嘉玲　臺灣師範大學國研所　65（1976）
《人物志及注校證》　郭模　文史哲出版社　76（1987）
《劉子集證》　王叔岷先生　中央研究院史語所專刊44　50（1961）

兵　　家

《孫子斠補》　鄭良樹　學生書局　63（1974）
《孫臏兵法註釋》　徐培根　魏汝霖　黎明文化公司　65（1976）
《孫子兵法校釋》　陳啓天先生　臺灣中華書局　68（1979）
《六韜研究》　周鳳五　臺灣大學中研所　67（1978）

其　他

《諸子斠證》　王叔岷先生　世界書局　53（1964）
《先秦諸子考佚》　阮廷卓　鼎文書局　69（1980）

乙、札記部份

儒　家

〈荀子集解補正〉　龍宇純　大陸雜誌 11:8-10　44.10-11（1955.10-11）
〈荀子集解訂補〉　潘重規先生　臺灣師範大學學報 1　45.6（1956.6）
〈荀子勸學篇疏解〉　韋政通　人生　16:2-4　47.6-7（1958.6-7）
〈荀子天論篇試釋〉　韋政通　人生　20:2　49.6（1960.6）
〈荀子校補〉　趙海金　大陸雜誌　21:3　49.8（1960.8）
〈荀子解蔽篇試釋〉　韋政通　人生　20:9-10 49.9-10（1960.9-10）
〈宋本荀子考略〉　阮廷卓　大陸雜誌　22:11　50（1961）
〈讀荀札記〉　張亨　大陸雜誌　22:8-9　50.4-5（1961.4-5）
〈荀子校釋〉　李滌生先生　國科會報告　50（1961）

〈荀子性惡篇試釋〉　韋政通　人生　21:11　50.4（1961.4）

〈荀子校釋〉　趙海金　大陸雜誌　23:9　50.11（1961.11）

〈荀子補遺〉　趙海金　大陸雜誌　24:7　51（1962）

〈荀子斠理〉　王叔岷先生　中央研究院史語所集刊34　51.12（1962.12）

〈荀子非十二子篇辯證〉　黃淑灌　臺灣師範大學國研所集刊12 55（1966）

〈荀子天論篇纂注〉　韋日春　中華學苑9　61.3（1972.3）

〈荀子集解補正〉　趙海金　成功大學學報7　61.6（1972.6）

〈荀子讀記〉　嚴靈峰先生　國學季刊4:1　62（1973）

〈荀子集解補訂〉　李滌生先生　中興大學文史學報3　62.5（1973.5）

〈荀子天論篇試釋〉　李滌生先生　中興大學學術論文集2　62.12（1973.12）

〈荀子解蔽篇試釋〉　李滌生先生　中興大學學術論文集3　63.6（1974.6）

〈荀子正名篇集釋〉　李滌生先生　中興大學文史學報4　63.5（1974.5）

〈荀子樂論篇試釋〉　李滌生先生　中興大學文史學報6　65.6（1976.6）

〈荀子性惡篇證補〉　劉文起　木鐸8　68.12（1979.12）

〈荀子天論篇新注〉　郭清寰　中國國學11　72.9（1983.9）

〈荀子正名篇正補〉　劉文起　中國國學12　73.10（1984.10）

〈荀子勸學篇札記六則〉　龍宇純　孔孟月刊　24:3 74.1（1985.1）

〈荀子解蔽篇正補〉　劉文起　高雄師範學院學報13 74.3（1985.3）
〈荀子議兵篇正補〉　劉文起　高明先生八十誕辰論文集　77（1988）
〈跋元刻本晏子春秋〉　王叔岷先生　中央研究院院刊3　45.12（1956.12）
〈晏子春秋斠證〉　王叔岷先生　中央研究院史語所集刊28　45.12（1956.12）
〈晏子春秋校正〉　田宗堯　臺灣大學文史哲學報13　53.12（1964.12）
〈孔叢子考佚〉　閻琴南　潘重規先生七十誕辰論文集　66.3（1977.3）
〈劉向說苑建本篇集證〉　左松超　人文學報3　62.12（1973.12）
〈說苑補證〉　左松超　中央圖書館館刊7:2 8:1 63.9 64.3（1974.9 1975.3）
〈說苑考佚〉　左松超　中國學術年刊1　65.12（1976.12）
〈論衡逢遇篇校詁〉　趙海金　大陸雜誌　35:12　56.12（1967.12）
〈論衡命祿篇校詁〉　趙海金　大陸雜誌　36:2-3　57.1-2（1968.1-2）
〈論衡氣壽篇校詁〉　趙海金　大陸雜誌　36:10-11　57.5-6（1968.5-6）
〈論衡校詁〉　趙海金　成功大學學報5，6　59.5　60.6（1970.5 1971.6）
〈顏氏家訓彙注補遺〉　周法高先生　中央研究院史語所集刊外編4下　50.6（1961.6）

〈顏氏家訓斠注補錄〉 王叔岷先生 大陸雜誌特刊2 51.5（1962.5）

〈顏氏家訓斠注補遺〉 王叔岷先生 臺灣大學文史哲學報12 52.11（1963.11）

〈讀顏氏家訓札記〉 陳槃先生 香港大學五十週年論文集 53（1964）

〈顏氏家訓斠注〉 王叔岷先生 香港大學五十週年論文集 53（1964）

〈中論校注〉 丁履譔 高雄師範學院學報2 62.12 （1973.12）

〈近思錄隨札〉 錢穆 故宮季刊17:3 72（1983）

道 家

〈老子札記〉 阮廷卓 大陸雜誌22:1 55.3（1966.3）

〈老子賸義〉 王叔岷先生 臺灣大學文史哲學報15 55.8（1966.8）

〈日本天文十五年古鈔本老子河上公章句探源〉 嚴靈峰先生 大陸雜誌66:3 72.3（1983.3）

〈帛書老子校劉師培「老子斠補」疏證〉葉程義 政治大學學報47 72.5（1983.5）

〈帛書老子校劉師培「老子斠補」疏證拾遺〉 葉程義 政治大學學報48 72.12（1983.12）

〈日本康應二年老子河上公章句鈔本斠證〉 嚴靈峰先生 大陸雜誌70:6 74.6（1985.6）

〈倫敦博物館敦煌莊子殘卷斠補〉 王叔岷先生 臺灣大學傅故校長斯年先生紀念論文集 41.12（1952.12）

〈日本高山寺舊鈔卷子本莊子即成玄英疏本試證〉　王叔岷先生　臺灣大學文史哲學報4　41.12（1952.12）
〈莊子斠補〉　王叔岷先生　金匱論古綜合刊1　46（1957）
〈南宋蜀本南華眞經校記〉　王叔岷先生　宋史研究集1　47.6（1958.6）
〈莊子校釋補錄〉　王叔岷先生　臺灣大學文史哲學報8　47.7（1958.7）
〈莊子齊物論斠詁並語釋〉　陸鐵乘先生　自行本　60（1971）
〈莊子天下篇之疏解〉　唐亦男　成功大學學報8，10　62.6　64.5（1973.6　1975.5）
〈莊子內篇逍遙遊第一詮解〉　史次耘　人文學報3　62.12（1973.12）
〈莊子內篇齊物論第二詮解〉　史次耘　人文學報4　64.5（1975.5）
〈莊子內篇養生主第三詮解〉　史次耘　沈剛伯教授紀念論文集　65.12（1976.12）
〈莊子內篇人間世第四詮解〉　史次耘　人文學報6　66.6（1977.6）
〈莊子內篇德充符第五詮解〉　史次耘　人文學報8　68.6（1979.6）
〈劉申叔「莊子斠補」考述〉　葉程義　政治大學學報46　71.12（1982.12）
〈莊子佚文〉　王叔岷先生　臺灣大學文史哲學報33　73.12（1984.12）
〈莊子校論：內篇逍遙遊第一〉　王叔岷先生　臺灣大學中文學報1　74.11（1985.11）
〈莊子校詮序論〉　王叔岷先生　臺灣大學文史哲學報34　74.12

（1985.12）

〈列子假借字探究〉　傅錫壬　淡江大學學報13　64.1（1975.1）

〈列子校正〉　莊萬壽　臺灣師範大學國文學報7　67.6（1978.6）

〈文子斠證〉　王叔岷先生　中央研究院史語所集刊27　45.4（1956.4）

〈文子斠補〉　于大成　中山學術文化集刊2　57.11（1968.11）

〈文子上德校釋〉　于大成　高雄師範學院學報4　65.1（1976.1）

〈文子下德校釋〉　于大成　中華學苑18　65.9（1976．9）

〈文子微明校釋〉　于大成　臺灣大學文史哲學報25　65.12（1976.12）

〈文子自然校釋〉　于大成　幼獅學誌14:1　66.2（1977.2）

〈文子上禮校釋〉　于大成　淡江大學學報15　66.9（1977.9）

〈僞關尹子補證〉　周學武　大陸雜誌50:4　64.4（1975.4）

法　家

〈管子斠證〉　王叔岷先生　中央研究院史語所集刊29下　47.11（1958.11）

〈管子牧民篇考釋〉　朱廷獻　孔孟月刊25:5　76.1（1987.1）

〈韓非子初見秦篇札記〉　周法高先生　大陸雜誌10:4　44.2（1955.2）

〈韓非子斠證〉　王叔岷先生　中央研究院院刊2 44.12　（1955.12）

〈韓非子集解補正〉　龍宇純　大陸雜誌13:2　45.7（1956.7）

〈說郛本韓非子斠記〉　王叔岷先生　中央研究院史語所集刊外編4　49.7（1960.7）

〈讀韓非子札記〉　趙海金　大陸雜誌　29:12　53.12（1964.12）

〈韓非子覈詁〉　趙海金　成功大學學報8，10　62.6　64.5（1973.6　1975.5）

〈讀韓非子孤憤篇札記〉　鄭良樹　故宮季刊6:3　76.4（1987.4）

〈朱師轍商君書解詁定本補正〉　阮廷卓　大陸雜誌2:2　39.3（1950.3）

〈商君書斠補〉　王叔岷先生　中央研究院院刊1　43.6（1954.6）

〈讀商君書札記〉　鄭良樹　毛子水先生九五誕辰論文集　76.4（1987.4）

〈慎子斠補〉　阮廷卓　大陸雜誌31:12　54.12（1965.12）

〈群書治要節本慎子義證〉　王叔岷先生　臺灣大學文史哲學報32　72.12（1983.12）

名 家

〈公孫龍子「白馬論」篇疏解〉　牟宗三先生　民主評論14:2　52.1（1963.1）

〈公孫龍子「通變論」篇疏解〉　牟宗三先生　民主評論14:3　52.2（1963.2）

〈公孫龍子「堅白論」篇疏解〉　牟宗三先生　民主評論14:5　52.3（1963.3）

〈惠施研究〉　婁良樂　臺灣師範大學國研所集刊10　54（1965）

〈惠施與辯者之徒的怪說〉　牟宗三先生　東方文化6:1,2　53（1964）

墨　家

〈墨子閒詁補正〉　龍宇純　學術季刊4:2　44.12（1955.12）
〈墨子閒詁補正〉　阮廷卓　大陸雜誌15:9　46.11（1957.11）
〈墨子斠證〉　王叔岷先生　中央研究院史語所集刊30上　48.10（1959.10）
〈墨辯小取篇校釋〉　陳癸淼　鵝湖2:7　49.2（1960.2）
〈墨子虛字研究〉　周富美　臺灣大學文史哲學報15 55.8（1966.8）
〈墨子大取篇校釋〉　陳癸淼　中興大學學術論文集3　65.6（1976.6）

雜　家

〈呂氏春秋高注補正〉　潘光晟　政治大學學報14 55.12（1966.12）
〈讀呂氏春秋札記〉　趙海金　成功大學學報2，3，4 56.3 57.4 58.5（1967.3　1968.4　1969.5）
〈呂氏春秋虛字集釋〉　余培林　林尹先生六十誕辰論文集　58.12（1969.12）
〈淮南子斠證（上）〉　王叔岷先生　臺灣大學文史哲學報5 41.12（1952.12）
〈淮南子斠證（下）〉　王叔岷先生　臺灣大學文史哲學報6 43.12（1954.12）
〈跋日本古鈔卷子本淮南鴻烈兵略閒詁第二十〉　王叔岷先生　中央研究院史語所集刊25　43.6（1954.6）
〈淮南子斠證補遺〉　王叔岷先生　臺灣大學文史哲學報7　45.4

（1956.4）

〈淮南子斠證續補〉　王叔岷先生　臺灣大學文史哲學報8　47.7（1958.7）

〈劉績本淮南子斠記〉　鄭良樹　幼獅學誌6:3　56（1967）

〈淮南鴻烈遺文考〉　于大成　林尹教授六十誕辰論文集　58.12（1969.12）

〈淮南雜誌補正〉　于大成　中山學術文化集刊5　59.3（1970.3）

〈淮南鴻烈原道校釋〉　于大成　中山學術文化集刊7　60.3（1971.3）

〈淮南鴻烈地形校釋〉　于大成　中華學苑8　60.9（1971.9）

〈淮南鴻烈覽冥校釋〉　于大成　文史季刊2:2　61.1（1972.1）

〈淮南鴻烈俶眞校釋〉　于大成　中山學術文化集刊9　61.3（1972.3）

〈淮南鴻烈齊俗校釋〉　于大成　中華學苑10　61.9（1972.9）

〈淮南鴻烈天文校釋〉　于大成　中山學術文化集刊10　61.11（1972.11）

〈淮南鴻烈本經校釋〉　于大成　淡江大學學報11　62.3（1973.3）

〈淮南鴻烈精神校釋〉　于大成　實踐學報4　62.3（1973.3）

〈淮南鴻烈說山校釋〉　于大成　淡江大學學報12　63.3（1974.3）

〈淮南鴻烈說林校釋〉　于大成　政治大學學報29　63.5（1974.5）

〈淮南鴻烈詮言校釋〉　于大成　中央圖書館館刊7:2　63.9（1974.9）

〈淮南鴻烈人間校釋〉　于大成　中華學苑14　63.9（1974.9）

〈淮南鴻烈兵略校釋〉　于大成　臺灣大學文史哲學報23　63.10

（1974.10）

〈淮南鴻烈脩務校釋〉　于大成　政治大學學報30 63.12（1974.12）

〈淮南鴻烈氾論校釋〉　于大成　淡江大學學報13 64.1 （1975.1）

〈淮南鴻烈泰族校釋〉　于大成　中華學苑16　64.9（1975.9）

〈淮南鴻烈主術校釋〉　于大成　淡江大學學報14　65.4（1976.4）

〈劉子集證補錄〉　王叔岷先生　中央研究院史語所集刊35　53.9（1964.9）

〈劉子集證續補〉　王叔岷先生　中央研究院史語所集刊40上 57.10（1968.10）

兵　家

〈論銀雀山出土孫子佚文〉　鄭良樹　書目季刊10:2　65（1976）

〈太公六韜佚文輯存〉　周鳳五　毛子水教授九五誕辰論文集 76.4（1987.4）

三、分　析

甲、專書部份

1. 根據上一節所錄出的「成果」，可知四十年來，臺灣地區，對於子部古籍作出校釋整理的專書，共有90種，其中屬於儒家的有30種，屬於道家的有32種，此外法家6種，名家2種，墨家7種，雜家7種，兵家4種，其他2種。如以某一專書的整理校釋而言，則以道家的《老子》最多，達21種，約佔全部專書23%，其次是《莊子》

7種，儒家的《荀子》7種。四十年來，臺灣地區，子部古籍的校釋整理，學者們特別鍾情《老子》，特別重視儒道兩家，這種現象，也是值得注意的。

2. 90種子部專書，如以子書所屬的時代而言，則屬於先秦時代的有63種，約佔全部專書的70%，屬於兩漢的有21種，其他魏晉南北朝有3種，隋唐有1種，宋元明有2種。四十年來，臺灣地區，對於子書的校書整理，學者們所專注的，大部分仍在先秦時代的古籍，一方面，先秦子書，義趣較為精深，比較引人注意，另一方面，先秦子書，經過秦火之後，亟需整理，唐宋以下的子書，訛誤已少，詮解較易，也是重要原因。要之，四十年來，臺灣地區，子書研究的風氣趨向，由於以上的分析，也可見及一斑。（子部古籍，或多僞書，如《晏子春秋》、《孔叢子》、《孔子家語》、《關尹子》等，撰著時代，頗難論定，此文之作，雖則參稽眾說，然疏略之處，必不能免。）

3. 90種子部專書，以學者們研究的時間而言，則民國40年代（1951-1960）發表者計有12種，50年代（1961-1970）發表者計有26種，60年代（1971-1980）發表者計有40種，70年代（1981-1990）發表者計有12種。四十年來，臺灣地區的學者們，對於子部古籍的校釋整理，40年代，可以視為是起步階段，人才也較稀少，50及60年代，為鼎盛階段，從事於此項工作的人員也較多，至於70年代，則為衰退階段，工作的人員也較前減少。學者們對於子書研究的興趣，已經逐漸轉變為思想義理的探索，其中原因，一方面，固然是由於子書校釋，功夫積累，如有一二大成的作品出現，後來的學者們，再想要踵事增華，已難有所踰越，只好另尋他途，作為研究的方向。另一方面，也是由於時代的改易，風氣的轉變，一般基礎性及較為艱苦的校釋整理工作，已較難引起青年學人的研究興趣。

4. 90種子部專書，在校釋整理方面，所從事者，大體可分爲「文字校勘」、「詞義詮詁」、「名物訓釋」、「出典探索」、「史料佐證」、「異說比對」、「要義疏釋」等幾項工作。然而，90部專著之中，有資料豐富、校釋詳密、論斷精審，學術價值極高者，也有疏解大義、粗譯文句，意在曉諭大眾、推廣閱讀，其學術價值，較爲貧乏者。

5. 90種子部專書之中，也有一些學者們萃其精力，鑽研多年，廣事整理，集其大成的著作，如王叔岷先生在民國36年，即已出版《莊子校釋》一書，至民國77年，復完成《莊子校詮》一書。又如陳啓天先生在民國29年，即已出版《韓非子校釋》一書，嗣又收集資料，陸續增訂，民國58年，復出版《增訂韓非子校釋》一書。又如嚴靈峰先生，民國33年，即已出版《老子章句新編》一書，民國60年，復出版《老子達解》一書。又如李滌生先生，晚年撰成《荀子集釋》一書。這些專著，都可說是作者們精心撰著、綜集大成、足爲典範的作品。

乙、札記部分

1. 根據上節所錄的「成果」，可知四十年來，臺灣地區，對於子部古籍作出校釋整理的札記論文，約有136篇，其中屬於儒家的有46篇，屬於道家的有33篇，其他法家14篇，名家5篇，墨家6篇，雜家30篇，兵家2篇。如以某一書籍之校釋札記而言，則以雜家的《淮南子》爲數最多，達32篇，約佔全部札記論文的24%，其次，則爲儒家的《荀子》，有28篇，約佔全部論文札記的20%，再次，則爲道家的《莊子》，有16篇，約佔全部論文札記的18%。

2. 136篇札記論文，如以子書所屬的時代而言，則屬於先秦時代的有92篇，約佔全部論文的67%，屬於兩漢有35篇，約佔全部論文的26%，屬於魏晉南北朝的有7篇，至於隋唐以下，則爲數極少。四十年來，臺灣地區，子部古籍校釋整理的札記論文，偏重在先秦時代與兩漢時代，這種情形，與專書部分的現象，極爲類似，而其形成的原因，自然也與專書部分的情形，約略相同。

3. 136篇論文札記，如以發表的時間而言，則民國40年代（1951-1960）發表的有30篇，50年代（1961-1970）發表的有38篇，60年代（1971-1980）發表的有49篇，70年代（1981-1990）發表的有19篇。這種情形，與專書部分現象及原因，也極相似，因此，四十年來，子部古籍的校釋整理，無論是專書也好、札記論文也好，40年代、50年代及60年代、70年代，同樣都分別可以稱爲是起步階段、鼎盛階段、衰退階段。

4. 136篇札記論文之中，有性質與專書，不易分別者（如余培林之〈呂氏春秋虛字集解〉、丁履譔之〈中論校注〉，亦可視爲專書，因初版收錄於學報之中，故歸入論文部分），有先行撰成專書，未曾正式出版，而以單篇論文形式發表於學報之中者（如于大成之《淮南子校訂》，單篇分別發表，故專書與論文兩類，皆加收錄），加以本文之作，資料收集，稍憑主觀，是以數目統計，難於精確，分析所得，亦僅能聊供參考，周知大略而已。

四、檢　討

四十年來，臺灣地區，對於子部古籍的校釋整理，雖然也有不少的成果，但是，回顧過去，策勵未來，我們仍然希望提出一些檢討的意見，供作參考：

1. 面不夠廣

四十年來，臺灣地區，校釋整理的子部古籍，偏重在先秦及兩漢時代，先秦兩漢的子部古籍，又偏重在儒家的《荀子》，道家的《老子》與《莊子》，雜家的《呂氏春秋》與《淮南子》，對於魏晉以下的子部古籍，整理的就少了許多，同時，即使是先秦兩漢的子部古籍，像陰陽家、縱橫家、農家、兵家、小說家的古籍，校釋整理的成果，也極罕見，因此，在子書整理的層面上，廣度就比較欠缺。

2.量不夠多

四十年來，臺灣地區，校釋整理子部古籍的成果，以學術人口的比例而言，數量仍然有限，因此，稍加觀察，就可得知，從事此項工作的學人，仍然是那些熟悉的名字，人數也不夠多，也因此，對於子部古籍校釋整理的層面，自然也不易更加廣泛。

3.質有差異

四十年來，臺灣地區，校釋整理子部古籍的著述，品質的差異，頗有距離，一方面，謹嚴篤實，創獲頻見的專書及論文，如前輩學人王叔岷先生、嚴靈峰先生的著作，其學術價值，早經學界公認。另一方面，後進學者，疏略膚泛的作品，卻也不在少數，因此，如何提昇著述的水準，使之能夠躋身於第一流的學術著作之林，也是值得留意改進的問題。

4.學風已變

一種學術的興盛，往往是由於幾位大師們的率先引導，影響到青年學子們的效法鑽研，然後才形成一股研究的風氣。

四十年來，臺灣地區，校釋子部古籍的風氣，大抵出自於兩處源泉，一處是中央研究院的歷史語言研究所，另一處則是幾所設有中文系所的大學。其中，倡導校釋子部古籍風氣的大師，在史語所研究的有王叔岷先生、周法高先生，在臺灣大學授課的有王叔岷先生，在師範大學授課的有高明先生、蔣復璁先生、楊家駱先生，在輔仁大學授課的有嚴靈峰先生，在文化大學授課的有潘重規先生。四十年來，在他們幾位大師的教導培育之下，目前已屬壯年一輩的學者們，像于大成、阮廷卓、金嘉錫、田宗堯、梁榮茂、左松超、蔡信發、鄭成海、劉文起等人，他們的著作，也都有著相當傑出的表現。而上述兩處源泉，向上推尋，其師承淵源，學術影響，也都可以追溯到高郵王氏父子的校勘訓詁之學。

可是，近十年以來，學術風氣，已在逐漸轉變，大學中的青年們，從事此種基礎性學術研究的，人數已逐漸減少，青年學人以校釋方法整理子書而取得碩士博士的著作，也日以罕見，青年們對於子書研究的興趣，多數已經轉移到對於子書思想的評論、批判、解析與比較，這種情形，一則令人以喜，一則也不免令人憂心忡忡。

以上的幾項情況，只是筆者平時觀察所及，也許還不夠深刻，但也希望能夠引起學術界有心人士的注意。

（此文於民國八十五年四月臺北「第一屆海峽兩岸古籍整理學術研討會」中宣讀，並刊載於《書目季刊》三十卷二期，民國八十六年八月出版）

楊家駱教授對於「四庫學」之貢獻

一、引　言

楊家駱教授是當代著名的史學家，他一生長期從事著述與出版工作，尤其對於目錄學與百科全書之學，更有精深的探究與重要的貢獻。

楊教授是江蘇江寧人，生於民國元年，卒於民國八十年，享年八十歲。楊教授年幼時，從其舅父張夔卿研習經史，治學從目錄入手，後又從吳炯齋與吳向之二位先生習「史注」之學，同時楊教授的曾祖父楊新甫、祖父楊星橋、父親楊紫極，都是著名的文史學者，楊教授秉承家學，有不少的學術研究，也是繼續他父祖的未竟之業而加以光大的。

民國十七年，楊教授進入教育部工作，也同時開始了他的著述工作，民國十九年，楊教授與其兄楊家驄、弟楊家駒和楊家騆，在南京創辦了中國辭典館及中國學術百科全書編輯館，開始大規模的編輯出版事業。

楊教授學識淵博，著述宏富，對於近代學術研究與出版工作，有極大的影響，此文之作，則僅就楊教授對於「四庫學」的貢獻，作一敘述。蓋自《四庫全書》編纂完成之後，有關《四庫全書》編纂之計劃、編纂之人員、編纂之場地、貯存之地點、提要之撰寫、檢索之方式、修纂之得失等等，問題浮現，而逐漸形成一「四庫」之「學」，深受學術界之關注，楊教授對於「四庫學」的各種著述，遂亦產生極重要的貢獻。

二、《四庫大辭典》

民國十六年，楊家駱教授開始編著《四庫大辭典》一書，歷經三年，至民國十九年，全書撰成，民國二十年，是書出版，時楊教授年方弱冠，當時，社會上不少人士對於該百萬言之巨著竟完成於一年方二十歲的青年之手，有所懷疑，以至於楊教授不得不在金陵大學圖書館舉行楊氏父子手稿聯展，以釋群疑。

《四庫大辭典》的出版，目錄學家姚名達在《中國目錄學史》中，稱許此書爲「目錄學之似因實創之作」，王雲五先生爲該書撰序，認爲「是我國第一部最適用最便檢查的圖書大辭典」，同時，爲該書題辭的社會名流、學者專家如林森、蔡元培、居正、于右任、孫科、陳立夫、梅貽琦、梁漱溟等亦達數百人之多。

該書以《四庫全書總目》二百卷，以及《四庫存目》等爲其範圍，加以整理，楊教授以爲，《四庫全書總目》，篇卷太繁，讀者閱覽，並不方便，他說：

> 《總目》全書，爲卷二百，遍讀全書，勢所難能，且均以

類次，不明類例，及欲讀之書，屬何性質者，在此二百卷中，檢索一書，不啻淘金沙江，採珠麗水，責其有求必應，一索即得，難矣，翻檢不便，是其一失也。

《總目》以書名立條，設於某書僅知撰人，即無從檢索，不以人名立條，是其二失也。

《總目》各提要，於文字增刪，篇帙分合，皆詳爲訂辨，往往提要一則，纍纍千數百言，不惟閱讀稽時，抑且難得要領，不能要言不煩，是其三失也。

《總目》於撰人生平，除於隱僻者，敘述較詳，烜赫聞人，概爲略去，雖史籍俱在，然其聚也，非在一地，其得也，不能雷同，縱皆擁於座右，亦不免東翻西檢之勞，況各書敘述，繁簡易趣，求其符於所需，殊未易言，不詳撰人生平，是其四失也。

楊教授認爲《四庫全書總目》，確有上述四種撰述上的缺失，爲了改正此四種缺失，楊教授於是重新整理《四庫全書總目》，而撰成了《四庫大辭典》一書，全書分別以「書名」和「人名」爲立條的標準，「書名條」共約一萬條，「人名條」共計七千餘條，全書總共凡一萬七千餘條，二百五十餘萬字。「書名條」下，包括該書之卷數、撰人或編注人姓名、類次、解題、版本等各項。「撰人條」下，包括所著或所編注各書名稱、撰人時代、籍貫、小傳、四庫失收之著作名稱、撰人詳傳參考書各項。「書名條」及「撰人條」，又按字典的方式編排，並採用王雲五先生的「四角號碼檢字法」作爲排次的依據，極便檢索。以下先舉數則「書名條」的例子，以見該書內容一斑。

0862 7-01《論語全解》十卷

宋陳祥道撰，是書每以莊子之說證論語，祥道長於三禮之學，故詮釋論語，亦於禮制爲最詳。○張目有舊抄本，題重廣陳用之學士眞本、八經論語全解義、振綺堂有抄本、亦題全解義。○四書一。

2590 0-17《朱子讀書法》四卷

宋張洪齊熙同編，以朱子門人輔廣所輯者爲上卷，而以所續增者列爲下卷，分居敬持志、循序漸進、熟讀精思、虛心涵泳、切己體察、著緊用力六項，皆以文集語類排比綴輯，分門隸屬，綱目井然，於朱子一家之學，可云覃思研究矣。○元至順刊本、抄刊。○儒家二。

2825 7-35《儀禮鄭注句讀》十七卷、附《監本正誤》、《石經正誤》二卷

清張爾岐撰，是書全錄儀禮鄭注，摘錄賈疏，而略以己意發明之，因其文古奧難通，故並爲之句讀，所附監本正誤石經正誤，考訂亦詳。○乾隆八年高氏刊本、和衷堂本。○禮二。

另外，像「撰人條」的例子，如：

0023 1-14「應劭」

風俗通義。○後漢南頓人，字仲遠，少篤學博覽，舉孝廉，拜

泰山太守，連破黃巾，郡內以安，獻帝遷都於許，詔劭爲袁紹軍謀校尉，時舊章湮沒，書記罕存，劭綴集所聞，又著漢官儀及儀禮故事，卒於鄴。○附漢書卷七十八應奉傳。

7171 6-40「區大任」

百越先賢志，○明順德人，字楨伯，嘉靖中以歲貢累官南京戶部郎中。

7132 7-75「馬驌」

左傳事緯、繹史。○清鄒平人，字宛斯，順治進士，官靈知縣，蠲荒除弊，荒亡復集，卒官，諳熟古代史事，時稱馬三代。○國朝先正事略卷三十二、碑傳集卷九十一、文獻徵存錄卷二、漢學師承記卷一、國朝學案小識卷十三、清史列傳卷六十八、清代樸學大師列傳第十三。

《四庫大辭典》正文之前，刊有王雲五先生《四角號碼檢字法》，《大辭典》正文每則「書名」或「人名」條條目之上，第一排號碼爲第一字之四角號碼，第一排橫線前一碼爲第一字之附角號碼（即第五角），橫線後二碼爲第二字上二角之號碼。《大辭典》卷首，另外尚有「筆劃索引」及「拼音索引」，以備檢索之用。

三、《四庫全書概述》

民國二十年十月，《四庫大辭典》已全稿印成，楊家駱教授就《大辭典》再加檢閱，忽覺應該別撰有關《四庫全書》之論著，附於稿後，於是而有《四庫全書概述》一書之作。此書於民國二十一年出版。

《四庫全書概述》分爲「文獻」、「表計」、「類敘」、「書目」四大部分，全書約四十二萬多字，其中以「文獻」部分最爲重要，約佔全書份量十分之七。

「文獻」部分，又分「編纂」、「採禁」、「鈔印」、「館臣」四章，「編纂」一章，主要在於敘述《四庫全書》編纂之經過，體例之得失，以及近年間續修《四庫全書》之呼聲，大抵搜輯歷來有關編纂《四庫全書》之各種資料，依時代先後排纂而成。「採禁」一章，主要在於敘述《四庫全書》所用底本之來源，以及是時文字獄與禁繳書籍之情況。「鈔印」一章，主要在於敘述《四書全書》分鈔七部以及歷次籌印之經過。「館臣」一章，則主要敘述當時參與編纂《四庫全書》人員之事蹟及軼聞。

「表計」部分，則收有「四庫全書著錄存目書統計表」、「文津閣書架函冊頁確數表」、「四庫全書依據書本來源表」、「清初藏書家一覽表」、「四庫全書薈要書目表」、「四庫全書孤本書目表」、「武英殿聚珍版叢書書目表」、「永樂大典採輯書書目表」、「官修書表」、「帝后著作表」、「四庫著錄存目外明清兩代敕撰書書目表」、「婦女著作表」、「僧侶著作表」、「道流著作表」、「歐人著作表」、「明末清初來華基督教士及其著作表」、「以別名發表之著作表」、「不著撰人之著作表」、「四庫全書總目卷類對照表」、「四庫全書館大事表」、「修書期間文字獄一覽表」、「四庫全書館館臣一覽表」等共二十二表。

「類敘」部分，則分經、史、子、集，摘鈔《四庫全書總目》

中之四部總敘，各類小敍，及重要按語而成，不啻一簡要之國學概論。

「書目」部分，亦分經、史、子、集，登錄《四庫全書》以及《存目》中之「書目」，實係《四庫全書》一最簡明之分類目錄。

《四庫全書概述》撰成當時附於《四庫大辭典》之後，一併印行。民國六十年八月，楊教授又應門下學子之請，將《四庫全書概述》單獨重印，同時，爲了適應需要，《四庫全書概述》重印時，分爲兩種版本，其中一種版本是增附了林鶴年《四庫全書表文箋釋》、周雲青《四庫全書提要敘箋注》、《四庫簡明目錄》，另外一種版本，則是除了增附前述三書之外，更增附了《辦理四庫全書檔案》及《四庫採進書目》兩書。

四、《四庫全書學典》

楊教授所撰著之《四庫全書學典》，出版於一九四六年（民國三十五年）六月，由上海世界書局印行，書前有李石曾氏所撰〈世界學典書例答問〉一文，主要討論《世界學典》與《四庫全書學典》之關係。

《四庫全書學典》第一部分爲「四庫全書通論」，通論部分，共分爲九章、五十四節，從九章的分別，以及五十四節的標目，可以看出「四庫全書通論」所彰顯的內容。

「四庫全書通論」第一章爲「導言」，此章分爲三節，第一節爲「提供一個想像四書全書的輪廓」，第二節爲「四庫全書之世界性及其知識世界的幅度」，第三節爲「中國政府清算知識之機構的本質問題」。

第二章爲「四庫全書的知識體系」，此章分爲七節，第四節爲「三千四百七十種原著怎樣構成一個整體」，第五節爲「四部的理論與實際」，第六節爲「經部」，第七節爲「史部」，第八節爲「子部」，第九節爲「集部」，第十節爲「四部分類源流一覽」。

第三章爲「四庫全書史上的幾個主要命題」，此章分爲五節，第十一節爲「四庫全書館的搜集工作」，第十二節爲「四庫全書館的組織」，第十三節爲「四庫全書館中的學者」，第十四節爲「收藏四庫全書的七個建築物」，第十五節爲「四庫全書的印刷問題」。

第四章爲「四庫全書統計」，此章分爲三節，第十六節爲「從分類上看著錄書和存目書的種數卷數比例」，第十七節爲「四庫著存目所列各類書之時代比例」，第十八節爲「從冊數頁數上看著錄書各類確量的比例」。

第五章爲「關於四庫全書的百種專書」，此章分爲十一節，第十九節爲「四庫全書參考書目凡例」，第二十節爲「四庫全書提要書目」，第二十一節爲「四庫全書校勘書目」，第二十二節爲「四庫全書據本書目」，第二十三節爲「四庫全書印本書目」，第二十四節爲「四庫著錄書庫本外板本書目」，第二十五節爲「四庫修書搜禁書目」，第二十六節爲「四庫全書失收書目」，第二十七節爲「四庫全書史科書目」，第二十八節爲「四庫全書目錄（不附提要）書目」，第二十九節爲「四庫全書索引書目」。

第六章爲「四庫全書前後清算知識的工作」，此章分爲四節，第三十節爲「四庫全書前六次清算知識的工作」，第三十一節爲「四庫全書後清算知識工作的新途徑」，第三十二節爲「中國叢書史」，

第三十三節爲「中國叢書目錄史」。

第七章爲「續修四庫全書」，此章分爲四節，第三十四節爲「續修的呼聲」，第三十五節爲「續修技術問題的建議者」，第三十六節爲「建議編刊中華全書的理由」，第三十七節爲「中華全書編刊辦法」。

第八章爲「世界學典」，此章分爲十一節，第三十八節爲「世界學典與四庫全書中華全書」，第三十九節爲「世界學典之宇宙論的基礎」，第四十節爲「學典的雛形時代」，第四十一節爲「學典啓導互助與自由思想的時代」，第四十二節爲「世界學典方法論舉要一，學典世界在自然世界與大同世界間的地位」，第四十三節爲「世界學典方法論舉要二，世界學典冊與冊間的組織關係」，第四十四節爲「世界學典方法論舉要三，世界學典每冊內的組織」，第四十五節爲「世界學典方法論舉要四，世界學典的外形」，第四十六節爲「世界學典暫用定義及與之配合的文化建設」，第四十七節爲「世界學典功能論及其對世界大同貢獻的預期」，第四十八節爲「世界學院中國學典館」。

第九章爲「世界學典中文版中的四庫全書學典」，此章分爲六節，第四十九節爲「四庫全書學典」，第五十節爲「四庫全書通論」，第五十一節爲「四庫全書辭典」，第五十二節爲「附論世界學典中文版辭典之部的排檢法」，第五十三節爲「四庫全書綜覽」，第五十四節爲「將繼四庫全書學典出版的有關學典」。

通論之末，附載有「在天空將吐魚白色的深夜中」一文，並有補述「辭典廣編和徵覽」一文。

《四庫全書學典》中最主要之部分，則爲《四庫全書辭典》，

《辭典》由楊教授所撰《四庫大辭典》改編而成，仍然分爲「書名條」及「人名條」兩項，一共一萬七千餘條，爲檢索《四庫全書》最爲便利之工具。

《四庫全書學典》中另一主要部分爲《四庫全書綜覽》，此一部分，分爲三編，第一編有「進四庫全書表」、「四庫全書凡例」、「補充四庫全書凡例之重要文獻」、「四庫全書總目部類敘及重要案語」、「四庫全書著錄書及存目書總目」、「四庫全書總目卷類對照表」、「四庫全書薈要文獻」、「四庫全書薈要書目」。

第二編有「四庫全書考證書目表」、「四庫著存目內官修書表」、「四庫著存目內帝后著作表」、「四庫著存目內婦女著作表」、「四庫著存目內佛教徒著作表」、「四庫著存目內道教徒著作表」、「四庫著存目內以別名發表之著作表」、「四庫著存目內不著撰人之著作表」、「四庫著存目內撰人有疑問諸著作表」、「永樂大典輯本書目表」、「武英殿聚珍板叢書書目表」、「四庫全書珍本初集書目表」、「阮元進四庫未收書分類書目及與點查書目影印書目對照表」。

第三編爲李石曾氏所著「世界學典引言」之中譯。

綜覽《四庫全書學典》一書，基本上，是由楊教授的《四庫大辭典》和《四庫全書概述》改編擴大而成，大體而言，從《四庫全書》的編纂，到《四庫全書》的內容，到續修《四庫全書》的倡議，到《四庫全書學典》與《世界學典》的關係，以上幾個重要的問題，此書都作出了一個全面性的統計與分析，對於讀者認識《四庫全書》而言，有著極其重要的幫助，對於《四庫全書學典》與《世界學典》的未來關係，此書也提出了前瞻性的建議。

五、續修《四庫全書》計劃

《四庫全書》自清代乾隆年間纂編完成之後，新出版的書籍越來越多，因此，近百年來，曾經多次出現續修《四庫全書》的呼聲，一八八九年，清翰林院編修王懿榮上疏於光緒帝，請續修《四庫全書》，一九〇八年，翰林院檢討章梫又上疏光緒帝，請續修《四庫全書》，但都因事未能成功，民國以後，又有多次的建議，也都因故未有結果。

民國三十五年三月一日，中國國民黨六屆二中全會於重慶舉行，楊教授草就〈請建議政府，普設機構，推廣四庫全書義例，纂修中華全書，以紀念總裁之豐功偉業，並利文化之建設與溝通案〉一文，並請由吳稚暉、李石曾、王寵惠三位先生提案，當經通過，送請國民政府實施，其「辦法」總要如下：

一、各市縣設立市縣全書館（如重慶市稱「重慶市全書館」），聘本籍學者及他市縣籍學者各若干人合組委員會，以處理編刊事宜。

二、各省設立省全書館（如江蘇省稱「江蘇省全書館」），聘本省學者及外省學者各若干人合組委員會，以處理編刊及聯絡事宜。

三、於國都所在地，設全國性之「中華全書館」，聘本國學者及國外學者各若干人合組委員會，以處理研究聯絡及編列事宜。

至於較為細密的工作，舉其要者，則可摘述如下：

1.各該市縣古今著作，無論刊本、墨本、全本、殘本，悉加搜集、校訂。佚書之有遺文曾為他書所稱引者，別為輯出。其已有數輯本者，重勘而合併之。各書悉撰提要，弁於書前。俟成書後彙編爲市縣全書總目提要，並附佚書考及待訪書目。總目提要外，另編簡明目錄一帙。

2.採訪本地之史蹟、文獻，彙修爲本地「方志」，其體例應採最合科學方法者。

3.志書成後，每年續修一地方「年鑑」，以爲補充，出至十年後，彙集重修新志。

4.關於詩、文、詞、曲及民間文學，凡無專集者，悉彙編於「文存」中，編成後續得者，編爲二集、三集，出至十集後，彙編爲新文存。

5.以上各項編列完成後，合稱「某市縣全書」，照「中華全書館」釐訂之格式、尺寸、紙質、裝訂等共同標準，自行陸續印刷。

6.凡有關於學術問題、技術問題及事實限制問題，或地方無力搜集校訂部份，得商請本省全書館及中華全書館辦理。

7.各市縣全書定五年成書，書成後機構不予裁撤，仍從事新出書稿資料之續搜、續校、續編、續印。

以上所摘幾項，是屬於「市縣全書館」所應致力之工作。

8.在中華全書館及各縣市全書館間，負聯絡調配之責。

9.收入省內各市縣全書之書，作爲該省全書之一部份，省全書館不必重複搜校；但省內市縣無法搜集校訂者，或於某書著作者知爲本省人而不詳其籍隸某市縣者，其著作則由省機構搜集校訂之。其撰作書前提要，彙編總目提要、簡明目錄及考證等，悉如各市縣全書之例。

10.以上各項編列完成，連省內各市縣全書，合稱「某省全書」，除省內各市縣全書館已印之書外，其印刷及編製綜合索引，如各市縣全書之例。

11.各省全書定七年成書，書成後機構不予裁撤，仍從事新出書稿資料之續搜、續校、續編、續印。

以上所摘幾項，是屬於「省全書館」所應致力之工作。

12.釐訂搜集、校訂、撰作提要之程序與方法，及刊印之格式、尺寸、紙質、裝訂等共同標準。

13.收入各省全書之書作為中華全書之一部份，不必重複搜校。

14.以上各項編列完成後，連各省全書，合稱「中華全書」。

15.中華全書定十年成書，書成後機構不予裁撤，仍從事新出書稿資料之續搜、續校、續編、續印。

以上所摘幾項，是屬於「中華全書館」所應致力之工作。

總之，楊教授計劃修纂的《中華全書》，也就是續修的《四庫全書》，主要是採取全國動員，分工合作的方式，加以進行，他將修纂《中華全書》的工作，分為市縣、省、全國三個層次，由全國進行統籌規劃的設計，由省和市縣進行分工的實際運作，等到各市縣的部分編纂校訂完成之後，作為基礎，匯歸到省，再由省匯歸到全國，如此一來，分工合作，全國各市縣皆進行動員，市縣省各自工作，而全國性的「全書」，自然統一完成，卻不需要像清代當年纂修《四庫全書》一般，集中大批人力、物力，專館編校鈔寫，而後歷經多年，方抵於成，因此，楊教授續修《四庫全書》，完全是一種化整為零，集體工作的方法。

楊教授所撰寫「纂修中華全書」之計劃，雖經民國三十五年中國國民黨六屆二中全會通過，送請國民政府施行，但是，民國三十八年，政府遷臺，此項計劃，遂不獲實際推動。

民國四十二年開始，楊教授主持世界書局的編務，他採取「間日出書一冊」的方式，出版「中國學術名著」多輯，每輯中所選書籍，凡古籍中有新校新注之本，則儘量採用，如舊本必不可缺者，則儘量採取最早及最完整之版本，至民國五十二年，楊教授離開世界書局時，已出版「中國學術名著」六輯，兩千八百餘種。楊教授並為已出各書分別撰寫「要指」，每週發表，以辨章學術、剖析源流，章明該書之指歸。這些書籍，剛好為楊教授計劃中的續修《四庫全書》，奠下了良好的基礎。

接著，楊教授遂發表了一連串的「續修四庫全書計劃」，在發表的「續修四庫全書工作單元舉例」之中，計有「四子書廣徵擬目」、「宋明理學名著初集述旨」、「全明雜劇擬目」、「景印郡邑叢書彙編議」、「疑年錄統編」、「輯印學報彙編議」、「兩漢遺籍輯存」、「三國遺籍輯存」、「兩晉遺籍輯存」、「南北朝遺籍輯存」等等。

例如在「宋明理學名著初集述旨」一文中，楊教授針對理學大師而擇取其相關著述，加以蒐羅刊出，如邵雍之《擊壤集》、周敦頤之《周子抄釋》（呂柟編）、張載之《張子抄釋》（呂柟編）、程顥、程頤之《二程子抄釋》（呂柟編）、謝良佐之《上蔡語錄》、楊時之《語錄》、尹焞之《壁帖》及《師說》、胡宏之《知言》、朱熹之《朱子語類》、《朱子年譜》（王懋竑編）、《近思錄》、《續近思錄》（張伯行編）、《廣近思錄》（張伯行編）、《白鹿洞學規條目》（王澍編）、呂祖謙之《麗澤論說集錄》、陸九淵之《象山集》、《陸子學譜》（李紱撰）、楊簡之《先聖大訓》、陳亮之《龍川文集》、葉適之《習學記言》、陳淳之《北溪字義》、眞德秀之《大學衍義》、程端禮之《讀書分年日程》、吳與弼《日錄》、薛瑄之《讀書錄》、陳獻章之《白沙集》、羅欽順之《困知記》、湛若水之《格物通存要》、王守仁之《陽明集要》、顧憲成之《東林會約》、《東林商語》、高攀龍之《就正錄》、劉宗周之《人譜》、《人譜類記》、黃道周之《榕壇問業》、朱之瑜之《朱舜水集》，作為第一批宋明理學名著之代表作品。

又如在「輯印學報彙編議」一文中，楊教授提出了整理現存以中文所出版之學報的建議，準備陸續編印為「學報彙編」一至十輯。十輯以後則為以外文出版之漢學學報。楊教授曾就晚清以迄民國三十八年所出雜誌一千八百一十三種中，選錄載有中國學術論文之「學報」一百九十七種，以備「學報彙編」一至十輯之取材，而以學報名稱筆劃多少為次，則有《人文月刊》、《山東大學文史叢刊》、《女師大學術季刊》、《文史雙月刊》、《文華圖書館專科季刊》、《文學年報》、《中山大學文史學研究所月刊》、《中央大學文藝論叢》、《中央研究院歷史語言研究所集刊》、《中法大學月刊》、《北大國學月刊》、《史學年報》、《東北大學季刊》、《東吳學報》、《武大文哲季刊》、《金陵學報》、《食貨》、《清華學報》、《船山學報》、《國學季刊》、《華國》、《輔仁學誌》、《燕京學報》、《暨南學報》等等，一共一百九十七種，選取其中重要論文，另行分類排列，各加適當總稱，分冊出版，以便於檢索應用。

這些續修《四庫全書》的工作計劃，對於實際進行續修《四庫全書》的工作，確實奠立下良好的理論基礎。

民國八十五年四月，第一屆「兩岸古籍整理學術研討會」在臺北國家圖書館舉行，北京圖書館李致忠教授發表了一篇論文，〈曠古巨帙，學術存眞—略談《續修四庫全書》〉，提出了大陸已在進行續修《四庫全書》的工作，而工作時所採取的方式，和楊教授計劃中纂修《中華全書》的方式，也有非常接近的地方。在李致忠教授的論文中，他也提到，「風聞臺灣方面也曾有過續修之議。」筆者是時在場，也即提出，臺灣有人從事續修《四庫全書》的工作，不是「風聞」，而是事實，並以蔣復璁與楊家駱兩位教授所推動的計劃爲例相告，會後，並以楊教授所撰寫的〈續修四庫全書工作計劃單元〉數篇寄贈李教授參考，也承他來函致謝。

六、結　語

自從《四庫全書》纂修完成之後，學者們除了利用《四庫全書》的資料，從事學術研究之外，同時，對於探討《四庫全書》的相關問題，也非常熱切，例如有關《四庫全書》編纂之目的、計劃、編纂之人員、編纂之場地、貯存之地點、提要之撰寫、檢索之方式、內容之得失、《四庫全書》的未來等等，都是受到學者們關注的問題，討論既多，逐漸遂形成一專門研究「四庫」之「學」的學問，成爲學者們探討的對象。

楊家駱教授對於「四庫學」的著述，《四庫大辭典》主要是對《四庫全書》的提要工作，以及檢索工作，作出了清晰簡要便利的貢獻。《四庫全書概述》與《四庫全書學典》，則是針對《四庫全書》的纂修過程以及學術內涵，蒐集原始文獻，作出了最直接最全面的述介，後來，郭伯恭氏撰有《四庫全書纂修考》一書，於民國二十五年出版，吳哲夫先生撰有《四庫全書纂修之研究》一書，於民國七十九年出版，大陸學者黃愛平有《四庫全書的纂修研究》，於一九九〇年出版，對於「四庫學」的全面研究，自然都有極爲重要的價値，但是，楊家駱教授的著述，在這一方面，仍然有其開拓性的貢獻。

另外，關於續修《四庫全書》的意見、建議、計劃和實踐，百餘年來，也是學術界討論不已的問題，楊家絡教授在這一方面的建言和計劃，仍然是一個極爲重要的理論基礎，其貢獻仍然是值得肯定的。

以上所述，僅僅只是剋就比較狹義的「四庫學」而討論的，如果將「四庫學」的範圍放寬廓大，則楊教授的許多著述，像《叢書大辭典》、《中國文學百科全書》、《中國學術名著要指》、《歷代經籍志》等等，似乎也都可以列入對「四庫學」的貢獻之內。

總之，在近代「四庫學」的研究上，楊家駱教授的貢獻，是深深地讓我們欽佩的。

（此文原刊載於淡江大學《第一屆中國文獻學學術研討會論文集》，民國八十七年五月出版）

楊家駱教授對於目錄學之貢獻

金陵楊師家駱教授，擅長目錄之學，在目錄學的理論方面和實務方面，都有許多具體的論述和著作，本文則擬從四項重點，簡略地介紹楊教授對於目錄學的貢獻。

一、對於四部分類理論的闡釋

民國三十五年三月，楊教授出版了《四庫全書通論》一書，在該書的第二章〈四庫全書的知識體系〉之中，楊教授曾以傳統的四部分類法，將我國的圖書，列表說明：

根	幹	枝
文化根源—經部 有如中世紀歐洲文化以「新舊約全書」爲其根源，而看成特別尊崇的書一樣。	記載性的—史部 亞理斯多德、培根，根據人類記憶、理性、想像三種心態，分學問爲歷史、哲學、詩文三大類。狄岱麓學典的第一冊據此畫成一張「人類知識系統圖」，四分法的史部，恰當其歷史類。	文學—集部 恰當於左述三大類的詩文類。
	思想性的—子部 恰當於上述三大類的哲學類。	

對於傳統圖書的四部分類，此表可以說是代表了楊教授對它的基本看法。他也以傳統典籍中的史部、子部、集部，與西方的歷史、哲學、詩文相配合，楊教授以爲，「書籍分類的意義，是將所有的書籍，使其在知識整體中得一比較固定的位置，以表示出每一書在知識整體中所盡的職責」（見《四庫全書通論》頁十四）。他也認爲，如果以樹木作爲譬喻，則經部便是傳統文化的根源，而史部、子部、集部，只是由此根本所衍生出來的枝幹而已。所以，經書在傳統文化中，最受人們尊崇。

民國六十三年九月，楊教授在〈中國學術類編輯刊緣起〉一文之中，也說道：

> 記憶、思考、感情，爲人類之高級本能，以所記憶者著之於竹帛則爲史部書，以所思考者著之於竹帛則爲子部書，以抒發感情者著之於竹帛則爲文學作品。而由記憶、思考、抒情所成最早之書，實中國文化之礎石，故尊之爲經，而附小學書以爲部。

傳統的目錄學，自劉向、劉歆父子整理古籍，撰成《別錄》、《七略》，確立分類，定爲七部以後，從《隋書經籍志》以下，四部分類，方得確立，楊教授以爲，「自四部之制確立，雖類屬之分屢更，次第亦有微變，然行之千數百載，至今仍不能廢，駱尋繹其故，始得其基本原理，以爲條理中國典籍，植其骨幹」，因此，當楊教授爲鼎文書局輯刊「中國學術類編」之時，「仍以經、史、子、集爲次者，非守舊也，其理不可易也」，因此，他也認爲，傳統的四部圖書分類法，在人類知識的區分上，仍然是最爲適當的歸屬方式。

二、對於傳統目錄學著述的編刊

民國五十年前後，楊教授在主持世界書局，輯印「中國學術名著」之時，便曾刊印了「中國目錄學名著」多種，其中如《四庫全書簡明目錄》、《四庫未收書目提要》、《古今僞書考》、《武陵藏書錄》等，應該是屬於「目錄」之書，直到民國六十六年十月，楊教授輯編了《校讎學系編》一巨冊，由鼎文書局出版，才眞正屬於是「目錄」之「學」的書籍，這部大書，也最能代表楊教授對於傳統「目錄」之「學」的觀點和評價，這部書的內容如下：

甲、劉氏系

一、劉　向：《七略別錄佚文》（用姚振宗輯本）
二、孫德謙：《劉向校讎學纂微》
三、羅根澤：〈別錄闡微〉
四、劉　歆：《七略佚文》（用姚振宗輯本）
五、程會昌：〈別錄七略漢志源流異同考〉
　附錄一　姚振宗：〈漢書藝文志條理敘錄〉
　附錄二　姚振宗：〈漢書藝文志拾補例言〉
　附錄三　孫德謙：〈漢書藝文志舉例〉
　附錄四　張舜徽：〈漢書藝文志釋例〉
　附錄五　張森楷：〈賁園書庫目錄輯略〉

乙、鄭氏系

一、鄭　樵：《通志·校讎略》

二、錢亞新：《鄭樵校讎略研究》

三、張舜徽：《廣校讎略》

附錄一　楊國楨：〈鄭樵年代考索二題〉

附錄二　焦　竑：〈國史經籍志糾繆〉

丙、章氏系

一、章學誠：《校讎通義內編》

二、章學誠：《校讎通義外編》

三、章學誠：《校讎通義外編補》

四、劉咸炘：《續校讎通義》

五、劉咸炘：《校讎述林》

六、杜定友：《校讎新義》

附錄：劉咸炘：《目錄學》

楊教授將古今重要的「目錄學」理論方面的著述，輯成一編，而將之分爲三個系統，分別是以劉向劉歆父子、鄭樵、章學誠爲代表，劉向劉歆，撰寫《別錄》、《七略》，在歷史上是最先大規模校讎古籍、整理古籍、分類圖書的代表。鄭樵撰寫《校讎略》與《藝文略》，提出「類例既分，學術自明」的類次圖書的理論。章學誠撰寫《校讎通義》，提出「辨章學術，考鏡源流」的圖書分類的理想，也提出「互著」「別裁」等部次圖書的方法。因此，此三家四人，也是建立傳統目錄學理論部分最爲重要的思想家，楊教授分析傳統的目錄之學，以三家爲代表，是非常具有卓識的，同時，除了以上三家的代表著作之外，舉凡與三家有直接關聯的著述，也都依類臚列，以備參考，也使得此三系的目錄學理論，體系更加清晰，資料更加充實，至於此書以「校讎學」命名，而不稱之爲「目錄學」，楊教授是以爲，在劉向父子整理古籍的過程中，「校讎」是一項最艱苦也最繁重的工作，因此，才以之爲名，要之，傳統的目錄之學，由於《校讎學系編》的輯結出版，不但在資料上，匯集一編，取用方便，而且，在建構傳統目錄之學的理論方面，也提供了更多的貢獻。

三、對於民國以來出版新書撰著總目提要

民國二十二年七月，楊教授方過弱冠之年，即出版《民國以來新書總目提要初編》，此書原是楊教授所編著的《圖書年鑑》的一部分，後來獨立出版。

此書分爲十四編，第一編總類，第二編哲學，第三編語文學，第四編文學論著，第五編創作文學，第六編翻譯文學，第七編藝術論著，第八編教育，第九編自然科學，第十編應用技術，第十一編社會科學，第十二編經濟，第十三編政治法律，第十四編歷史地理。每編之內，又詳分細目。

此書所收民國以來出版的新書，一共八千餘種，總數在二百餘萬字左右。

此書每一新書名下所撰寫的提要，都是楊教授親自在閱讀每冊新書之後，所記錄下來的讀後感想，批評意見，或摘錄現成的書評

而成，因此，每冊新書之下的提要部分，有些較爲簡略，有些則較爲繁重，例如在第二編「哲學」類中，楊教授對於胡適之先生的《中國哲學史大綱》一書，僅只作了五行的敘述，但是，對於馮友蘭先生的《中國哲學史》，楊教授則作出了長達十七頁的評論意見。又如在第十四編「歷史地理」類中，楊教授對於何炳松先生的《通史新義》，只作了四行的敘述，但是，對於梁任公先生的《中國歷史研究法》，則作出了長達四頁的評論意見。例如在「哲學類」中對於胡適之先生所撰的《戴東原的哲學》一書，《提要》說道：

> 戴東原一代大師，學人宗仰，但群震其功在經學考據方面，殊不知此止其建立哲學系統之工具，彼固近代大思想家大哲學家也。胡氏此書在指示戴學在哲學上之價值，略謂戴氏於破壞方面，攻宋明儒者之理欲二元論及主觀的天理論，於建設方面，則提出理欲一元論，並點明理義有客觀的存在，且必需客觀的證實，故其哲學向致知方面，以爲惟智慧之擴充，可以解決一切人生問題。全書分三部：㈠引論，敘述中國近世哲學之趨勢，明戴學之成立，蓋上承自顏李學派產出之新哲學基礎及自顧炎武以下的經學產出之新的爲學方法。㈡戴東原的哲學，於戴氏學説之諸要點，逐一提出詳論。㈢戴學的反響，提出楮凡十，或能了解戴氏，或頗私淑戴氏，或則提出抗議，或竟肆力排斥，總之，繼續戴氏之學而益求發展者乃無一人，故戴學惟有及身而絕。書末附錄戴氏重要著作《原善》、《孟子字義疏證》及〈與彭紹升往還論學書〉，以便參觀。

楊教授的提要，確實能將胡適之先生書中的要旨，彰顯出來。又如在「文學論著」類中對於蘇雪林先生所撰的《李義山戀愛事跡考》一書，《撰要》說道：

> 義山的詩素被人視爲隱僻，而無題諸作，更爲難解。中國文學界對於義山無題詩的見解，向來可分爲三派，第一派，以爲義山詩的隱僻，可以不解解之，而且義山詩的優美，便藏在這昧曖僻之中，如果說穿，反成嚼臘。第二派，直率地斷定義山詩的隱僻，是他才力不足的表現，第三派，以爲義山無題諸作，晦澀難解之詞，正如《楚辭》中的美人香草，古詩的託夫婦以喻君臣。於是後來箋註義山詩集的人，刻義推求，務求深解，使那些絕好的戀愛紀事詩，都變成了寄託。直至雪林女士此作一出，斷定他的詩是戀詩，並推出他戀愛的事跡，非常複雜，又分他戀愛的對象爲四種：一、女道士；二、宮人；三、妻；四、娼妓。由這種大膽的假設而到證實，所以這本書頗爲研究中國文學者所稱道。

楊教授的提要，也能將蘇雪林先生書中的大旨，說明清楚，又如在「文學論著」類中，對於陳望道先生所撰的《修辭學發凡》一書，《提要》說道：

> 本書共分十二篇，第一篇引言，從社會生活上指出，修辭的作用，並從修辭的實際上指明修辭和語言文字、理知情感、讀書作文等等一切的關係，及修辭學的任務、效用和

> 研究法。第二篇説言辭的梗概，將修辭的工具語言文字作概括的説明，以明工具的性質是怎樣，有多少東西可以被利用。第三篇講修辭的分野，把所有手法大分爲二，指出彼此不同的性質，及其適用的範圍。從第四篇到第九篇，將這些手法細細分説。到第十篇，再就這些手法指出它們的繁殊性和統一性。第十一篇，再就那統一性加以類別，並説明古來關於這方的爭點。第十二篇，是將古來一切的修辭學説加以概括的考察，並分別指出它們的傾向和特色，來做全書的結語。

楊教授的提要，也能將陳望道先生書中的要義，大略說明。

另外，在第四編「文學論著」類中，楊教授一共蒐集了五十一種各類性質的「中國文學史」，一一加以評述，另外，在第五編「創作文學」類中，楊教授更是蒐集了諸如冰心、胡適、郁達夫、沈從文、李金髮、林語堂、梁實秋、聞一多、謝冰瑩等四百五十三位當代作家，並一一介紹這些作家們所創作的文學作品。

要之，楊教授以弱冠之年，對於廣及人文、社會、科學等十四大類八千多種著作，都能夠一一地加以閱讀，加以評述，撰成提要，不但見出楊教授的博學多識，也更可以嘉惠讀者，有益學術的研究工作。

四、對於中國學術名著分別撰寫要指

民國五十年，楊教授主持世界書局，開始輯印「中國學術名著」，預計出版十輯，每輯二百冊，十輯共約一千五百冊，我國重要典籍，當能略備於是。同時，楊教授採取間日出書一冊的辦法，並每週在報端刊登新書之要指。這種出版的情形，在當時確曾蔚爲出版界的一大盛事。楊教授對於出版每冊新書所撰寫的「要指」，主要是以「辨章學術，剖析源流，揭著述之指歸，明版本之得失爲主」，因此，細讀原書，自是必要的工夫，楊教授自己也說，「凡所未讀，不敢妄評，亦不敢刊行」，因此，楊教授在爲每冊新書出版時所撰寫的「要指」，確實都能言之有物，批評中理，尤其更時時具有不少卓越之見解，對於學術的研究，極具參考價值，例如楊教授在爲王安石《王臨川全集》所撰寫之「要指」中說道：

> 安石相神宗，憫日弱之勢，睹積蔽之深，方欲變法更制，致其主於堯舜，而得君之專，規劃之偉，三代以來，亦一人而已。然其時每一法出，天下皆駭然而爭，彈章攻疏，交奏無虛日。及不安而去，雖所嘗薦引者皆起而陷之，甚至靖康之禍，亦有歸罪於安石者。以安石之學術操持，倘能襲故常，踵成跡，積資以躋顯榮，則雖無康濟之才，世猶得以其文行而重之，何至不諒於人口者若是之甚乎？蓋安石個性崛強，自信極篤，凡所施爲，冀其必成，及才智老成背之而去，奸人倖進迎旨而入，其不得不與小人圖行新政，或亦勢逼而出此，所爲安石惜者，豈不知授小人以政柄，其禍國殃民猶不若無此新政之爲愈乎？駱非云弊不應革，利不應興，特謂應以得人爲先，而得人又以品格爲要，竊願後之言新政者，勿再重演安石之悲劇耳。讀安石

集，必先識此旨，若僅賞其文詞之工，則猶不足盡區區重印此編之意也。

對於王安石的性格、行事，以及施政的得失，楊教授的這一段批評，確實是非常深刻的見解。又如楊教授在爲李燾《續資治通鑑長編》所撰寫之「要指」中說道：

兩宋三百二十年，無日不在強鄰侵迫之中，而朝野孜孜，獨以國史爲重，及其既亡，董文炳猶曰：「國可滅，史不可滅。」則今日待興復於海隅，亦何得遂以國史非急務，爲自怠之飾辭？駱每推原宋代史學特盛之故，朝廷之鼓勵，士林之推重，固與有力，其尤要者，則以宋儒治理學，遂善於運思，而復重躬踐，既知史籍爲國家興衰生民休戚之所繫，察俗布政鑑往知來之所資，於是網羅遺聞，群起秉筆，宋代史學之特重當代史者，亦以此也。是理學與史學，又何嘗相妨而不相成哉？今日欲挽浮囂之風習，導士林於宏毅，必自倡理學、史學，重躬踐、經世始。否則成大功立大業之動力，何自而獲？又不僅不能求一以四十年之力成千卷之史如李燾者矣。

對於宋代史學之盛，以及理學與史學相輔相成之關係，楊教授這一段評論，確實也是非常精要的見解。又如楊教授在爲陳援庵先生《通鑑胡注表微》所撰寫之「要指」中說道：

三省爲文天祥、謝枋得、陸秀夫同年進士，宋亡不仕，務伸亡國之殷鑒、民族之氣節於其注中，駱每讀《通鑑·後晉紀》開運三年胡注至「亡國之恥，言之者痛心，矧見之者乎！」未嘗不淒然而淚下也。則其好學愛國感發後人者又何異於文謝陸三公之所爲乎？舊唯四史有注，亦不盡可取，晉宋以迄五代，三省前無所承，奮筆箋釋，卒使曠古名作，有此博洽之注。顧世之論三省，或服其擅長考據，或推其明於地理，獨其微言大義索解人而不得，陳氏於抗戰中處三省之境，展卷重讀，遂得盡發其覆，因著《表微》二十卷七百數十則，前十卷論史法，後十卷論史事，凡三省家國之隱痛，及治學之精神，均賴以察見，駱今取以刊於《通鑑胡注》之末帙，亦願世人勿徒以考據之工讀其書耳。

對於陳援庵先生表彰胡三省在《通鑑注》中的微言大義，以及陳氏由於自身處境所感受到的家國之痛，楊教授的這一段闡釋，確實能夠曲盡其情，抒發幽隱。

爲書籍撰寫「要指」，其體例仿自劉向《別錄》，爲目錄學中重要的體裁之一，歷代目錄要籍，如《郡齋讀書志》、《直齋書錄解題》、《文獻通考·經籍考》、《四庫全書總目提要》等，都能充分發揮提要的功能，而楊教授爲「中國學術名著」所撰寫的許多「要指」，就其學術價值而言，實足以與晁公武、陳振孫、馬端臨、紀曉嵐等人的作品，比肩並轡，不遑多讓。

以上，僅就四項重點，簡略地介紹楊師家駱教授對於目錄學方面的貢獻，前兩項，是屬於目錄學理論方面的論述，後兩項，是屬於目錄學實務方面的著作，只是，自知綆短汲深，掛一漏萬，必不能免，尚請同門諸友及學界先進，多所賜正。

（此文原刊載於《紀念楊家駱教授九十冥誕論文集》，民國九十年五月出版）

楊家駱教授整理古籍之成果
——以編刊「中國學術名著」為例

一、引 言

楊家駱教授是江蘇江寧人，生於民國元年，卒於民國八十年，當西元一九一一年至一九九一年，享年八十歲。

楊教授年幼時，從其舅父張夔卿研習經史，治學從目錄入手，後又從吳炯齋與吳向之二位先生習「史注」之學，同時，楊教授的曾祖父楊新甫、祖父楊星橋、父親楊紫極，都是著名的文史學者，楊教授秉承家學，有不少的學術研究，也是繼續他父祖未竟之業而加以光大的。

民國十六年，楊教授開始編著《四庫大辭典》一書，至民國二十年（一九三一年）出版，當時，社會上不少人士對於該一長達百萬言之巨著，竟完成於一年方弱冠的青年之手，不免有所懷疑，因此，楊教授不得不在金陵大學圖書館舉行楊氏父子手稿聯展，以釋群疑。自是以後，以至抗日戰爭勝利，楊教授陸續出版了《四庫大辭典》、《叢書大辭典》、《群經大辭書》、《四庫全書學典》、《中國文學百科全書》、《唐詩初箋簡編》、《民國名人圖鑑》、《民國以來出版新書總目提要》等多種巨著，並曾擔任復旦大學史學系及國立社會教育學院圖書博物館學系教授。

民國三十八年（一九四九年），楊教授渡海來臺，擔任世界書局總編輯十五年，總經理十年，繼續推動文化出版事業，並曾任教於臺灣師範大學國文研究所、及社會教育學系、臺灣大學圖書館學系、輔仁大學圖書館學系、中國文化大學史學研究所。

民國四十三年（一九五四年）開始，楊教授計畫爲世界書局編刊「中國學術名著」，所刊書籍凡五千餘種，分爲十輯，次第刊行，每輯約一二百冊，十輯當有一千五百冊，古代重要典籍，當能略備於此。

民國五十年（一九六一年）元旦開始，楊教授採取間日出書一冊的方式，以加緊出版計劃的進度，以維持世界書局出版的信用，並且，每週於「中央日報」刊登各書的「要指」一次，對於出版之書，加以評介，屆至民國五十二年（一九六三年）五月爲止，已經出版「中國學術名著」六輯，精裝八百冊，共計有圖書二千八百六十種，二萬二千六百零八卷。稍後，楊教授因故離開世界書局，「中國學術名著」，遂也未再繼續出版。

此文之作，即在對於楊家駱教授編刊「中國學術名著」之相關內容，作一簡略之敘述，以記錄此一在出版史上及古籍整理上皆具有重要性之成果。

二、成　果

1.出版內容

楊教授所編刊之「中國學術名著」，一共出版六輯，每輯之中，採取圖書分類分集的方式，陸續出版，總計已經出版的六輯，其內容大略如下：

第一輯，計收有「樸學叢書」第一集二十五種，「朱子、小學及四書、五經讀本」十一種，「中國史學名著」第一、二、三集合編五十八種，「中國思想名著」第一集二百三十種，「中國文學名著」第一、二集合編五十一種，「詞學叢書」第一集六十三種，「中國筆記小說名著」第一集三十七種，「中國通俗小說名著」第一集三十七種。

第二輯，計收有「樸學叢書」第二集九種，「中國史學名著」第四集二十八種，「歷代會要」第一集八種，「中國目錄學名著」第一集十八種，「讀書劄記叢刊」第一集十九種，「中國文學名著」第三集八十一種，「歷代詩文總集」第一集二十三種，「曲學叢書」第一集六十九種，「中國俗文學叢刊」第一集一百六十三種，「中國科學名著」第一集一種。

第三輯，計收有「十四經新疏」第三集書十三種，「樸學叢書」第三集五十三種，「國史彙編」第一集四種，「中國史學名著」第五集五十種，「歷代學案」第一集三種，「中國目錄學名著」第二集十五種，「中國文學名著」第四集七種，「歷代詩文總集」第二集三百二十七種，「詩話叢編」第一集十二種，「曲學叢書」第二集六十五種，「全元雜劇」第一集一百五十種。

第四輯，計收有「類書叢編」第一集一種，即《永樂大典》輯本一百冊。

第五輯，計收有「正史廣編」第一集二種，「通鑑彙編」六種，「中國史學名著」第六集三種，「歷代學案」第二集二種，「中外交通史名著」第一集十種，「中國思想名著」第二集四十四種，「中國科學名著」第二集七種，「中國文學名著」第五集三十七種，「全元雜劇」第二集一百零八種，「藝術叢編」第一集三百七十八種。

第六輯，計收有「十三經注疏補正」五十四種，「國史彙編」第二集三種，「歷代會要」第二集一種，「大陸各省文獻叢書」第一集二十二種，「中國目錄學名著」第三集五十五種，「讀書劄記叢刊」第二集一百九十五種，「崔東壁遺書」四集三種，「中國文學名著」第六集一百二十五種。

楊教授於民國五十二年十月辭去世界書局總經理兼總編輯之後，「中國學術名著」預定出版十輯之計劃，即未再加進行，已出版之六輯中，計有圖書二千八百六十種，兩萬二千六百零八卷，精裝為八百冊。

2.編輯體系

楊教授編輯的「中國學術名著」，分輯出版，每輯之中，又依圖書的性質，分類分集印行，在其分類分集之中，即約略可以了解楊教授在編刊時的體系，茲以「中國學術名著」第一輯中的「樸學叢書」為例：

「樸學叢書」第一集共有十冊，其中第一二冊收有清段玉裁《說文解字注》三十卷、〈序跋〉一卷、〈目錄〉一卷，清陳奐〈說文部目分韻〉一卷，清段玉裁《六書音韻表》五卷、〈序〉一卷、〈目錄〉一卷，清馬壽齡《說文段注撰要》九卷、〈序跋〉一卷、〈目錄〉一卷。

「樸學叢書」第一集第三四冊收有清朱駿聲所撰、朱鏡蓉參訂之《說文通訓定聲》十八卷、〈序跋〉一卷、〈釋名〉一卷、〈釋轉注〉一卷、〈釋假借〉一卷、〈凡例〉一卷、〈說文六書爻列〉一卷、〈總目〉一卷、〈分部檢韻〉一卷，清朱駿聲所撰之〈說雅〉十九篇、清朱駿聲所撰之〈古今韻準〉一卷，清朱駿聲所撰、金祥恒鈔校之《說文通訓定聲補遺》十八卷、〈卷首〉一卷，宋文蔚所撰之〈說文通訓定聲序注〉一卷。

「樸學叢書」第一集第五六冊收有清阮元撰集、清臧鏞堂臧禮堂總纂之《經籍纂詁》一百零六卷、《補遺》一百零六卷、〈合編〉序一卷、〈凡例〉一卷、〈姓氏〉一卷、世界書局編輯所之〈目錄索引〉一卷、〈同字異體〉一卷。

「樸學叢書」第一集第七冊收有清劉淇所撰、楊紹和、李文杏、曹錦堂、張仁榮、唐兆榴所校之《海源閣校刊助字辨略》五卷、〈序〉一卷、〈目錄〉一卷，清錢泰吉所撰之《曝書雜記》一卷、楊紹和所撰之〈跋〉一卷，清王引之所撰之《經傳釋詞》十卷、〈序〉一卷、〈目錄〉一卷，清孫經世所撰之《經傳釋詞補》一卷，清孫經世所撰之《經傳釋詞再補》一卷，清吳昌瑩所撰之《經詞衍釋》十卷、〈序〉一卷、〈目錄〉一卷，清吳昌瑩所撰之《經詞衍釋補遺》一卷。

「樸學叢書」第一集第八九冊收有張相所撰之《詩詞曲語辭匯釋》六卷、〈敘言〉一卷、〈目次〉一卷、〈索引〉一卷、鍾毓龍所撰之〈傳〉一卷，徐昆華所撰之《金元戲曲方言考》一卷、〈補遺〉一卷、〈序〉一卷、〈目次〉一卷、〈引用書目〉一卷。

「樸學叢書」第一集第十冊收有清俞樾所撰之《古書疑義舉例》七卷、〈序〉一卷、〈目錄〉一卷，馬敘倫所撰之《古書疑義舉例校錄》七卷、〈目錄〉一卷，劉師培所撰之《古書疑義舉例補》一卷、〈目錄〉一卷，姚維銳所撰之《古書疑義舉例補附》一卷、〈目錄〉一卷，楊樹達所撰之《古書疑義舉例續補》一卷、〈目錄〉一卷，楊樹達所撰之《古書疑義舉例再續補》一卷，楊樹達所撰之《古書句讀釋例》四卷、〈目錄〉一卷。

又以「中國學術名著」第六輯中的「大陸各省文獻叢書」第一集為例，該集一共八冊，第一冊收有傅春官所撰之《金陵建置沿革表》一卷、〈序〉一卷、〈凡例〉一卷、〈引用書目〉一卷、〈序後〉一卷。張敦頤所撰之《六朝事跡類編》二卷、〈序〉一卷、〈目錄〉一卷。

「大陸各省文獻叢書」第一集第二冊，收有清李斗所撰之《揚州畫舫錄》十八卷、〈目錄〉一卷、〈序〉一卷。

「大陸各省文獻叢書」第一集第三冊，收有宋周淙所撰之《乾道臨安志》三卷、清錢保塘所撰之〈卷首〉一卷、〈札記〉一卷。清朱彭所撰之《南宋古蹟考》二卷、〈跋〉一卷。清厲鶚所撰之《東城雜記》二卷、〈目錄〉一卷、〈序〉一卷、又〈跋〉一卷、〈提要〉一卷。清徐逢吉所撰之《清波小志》二卷、〈序〉一卷、又〈跋〉一卷。清陳景鐘所撰之《清波小志補》一卷、又〈跋〉一卷。

「大陸各省文獻叢書」第一集第四冊，收有明田汝成所撰之《西湖遊覽志》二十四卷、〈序〉一卷、〈目錄〉一卷、又〈提要〉一卷、〈跋〉一卷、〈校勘記〉一卷。

「大陸各省文獻叢書」第一集第五冊，收有明田汝成所撰之《西湖遊覽志餘》二十六卷、〈目次〉一卷。

「大陸各省文獻叢書」第一集第六冊，收有清孫星衍、莊逵吉輯校之《古本三輔黃圖》一卷、〈序〉一卷。張閬聲所校之《校正三輔黃圖》六卷、〈序〉一卷、〈目錄〉一卷。清畢沅所輯之《三輔黃圖補遺》一卷。清張澍所輯之《三輔舊事》一卷。唐韋述所撰之《兩京新記》一卷、又〈跋〉一卷。宋張禮所撰之〈遊城南記〉一卷、又〈跋〉一卷。清徐松所撰之《唐兩京城坊考》五卷、〈圖〉一卷。

「大陸各省文獻叢書」第一集第七冊，收有宋孟元老所撰、鄧之誠所注之《東京夢華錄注》十卷、〈序〉一卷、〈原目〉一卷、〈細目〉一卷、〈引用書目〉一卷、〈跋〉一卷。

「大陸各省文獻叢書」第一集第八冊，收有明蕭洵所撰之《元故宮遺錄》一卷、又〈序〉一卷、〈跋〉一卷。明劉侗、于奕正所撰、清紀昀所刪之《帝京景物略》八卷、〈序〉一卷、〈總目〉一卷、〈略例〉一卷、又〈跋〉一卷。清高士奇所撰之《金鼇退食筆記》二卷、又〈序〉一卷。

楊教授在編刊「中國學術名著」之時，主要是選擇性質相近之學術著作，加以歸類、編纂、整理、加工，然後印行，使之成爲系統之知識，提供給學者們研究參考。除了上述的例子之外，又如在「中國學術名著」第一輯「中國思想名著」第八冊《孔子家語注》

及《孔叢子》之後，收有清馬國翰所輯之《儒家佚書輯本五十五種》，在第二十五冊《劉子新論》之後，收有清馬國翰所輯之《雜家佚書輯本十九種》，也都是這種類聚學術資料的編纂工作。

3.版本依據

楊教授編刊「中國學術名著」，對於學術著作的版本選擇，自始即十分重視，在他爲世界書局「間日出書一冊」屆滿百週而撰寫的〈中國學術名著要指代序〉一文之中，他曾經說道：「中國學術名著擬目之標準，於唐以前書則求其全，於宋以後書則刊其要。古籍之有新校新注者，則儘量取後可概前之本，如舊本必不可缺，則儘量取最完最早之本。」因此，他對版本的選取，大致可以分爲以下四個來源：

第一，是影印原刊本。例如《戰國策》是影印剡川姚氏讀未見書齋刊本，清謝啓昆所撰之《西魏書》是影印光緒癸未重雕樹經堂藏本，《歷代帝王年表》是影印道光四年冬刊本，清唐晏所撰之《兩漢三國學案》是影印潮陽鄭氏龍溪精舍刊本，清王梓材、馮雲濠所撰之《宋元學案補遺》是影印四明叢書刊本，漢許愼所撰之《說文解字》是影印孫星衍平津館校刊宋本，明顧炎武所撰之《蔣山傭殘稿》是影印舊鈔孤本，徐世昌所編之《晚晴簃詩匯》是影印退耕堂原刻本等等。

第二，是重印上海世界書局舊排本。例如清黃汝成所撰之《日知錄集釋》、清俞樾所撰之《諸子平議》、清王先愼所撰之《韓非子集解》、清黎庶昌所編之《續古文辭類纂》、清魏源所撰之《聖武記》等，皆據世界書局昔日在上海時代所排印之版本重新印刷。

第三，是影印大陸學者新校新注本。例如王孝魚整理清人郭慶藩所撰之《莊子集釋》、陳奇猷所撰之《韓非子集釋》、王利器所撰之《鹽鐵論校注》、胡道靜所撰之《夢溪筆談校證》、陳寅恪所撰之《元白詩箋證稿》、陳垣所撰之《通鑑胡注表微》、周祖謨所撰之《廣韻校勘記》等。

第四，是在臺新排印本。例如丁文江所撰之《梁任公年譜長編》、董作賓所撰之《董作賓學術論著》等。

大體而言，楊教授編刊「中國學術名著」，對於學術著作的版本選擇，可以分爲以上四個來源。

4.蒐羅材料

楊教授編刊「中國學術名著」，對於學術資料的蒐輯十分注意，其中，有一項值得特別提出來的，就是在「中國學術名著」第四輯中，所輯錄印行的《永樂大典》存本八百零三卷。

《永樂大典》是明代成祖皇帝永樂年間令解縉、姚廣孝等三千多位學者所編成的一部大書，該書按韻編成，共計有二萬二千九百三十七卷，以黃絹包背裝訂成一萬一千一百零九十五巨冊，《永樂大典》的〈凡例〉首條曾說：「是書之作，上自古初，下及近代，經史子集與凡道釋醫卜雜家之書，靡不收采。」又說：「包括乾坤，貫通古今，本末精粗，粲然備列，庶幾因韻以考字，因字以求事，開卷而古今之事，一覽可見。」在當時，那是世界上份量最大的一部百科全書，因爲卷帙繁重，當時僅只繕寫了正副兩部。

西元一六四四年，明朝亡國，《永樂大典》的正本一部完全損失，一七七三年，清代乾隆皇帝修纂《四庫全書》之時，《永樂大典》的副本尚存九千六百七十七冊，當時學者曾從其中抄出失傳古書五百一十四部，五千五百六十二卷。及至清代末年，戰爭頻仍，外患寖至，尤其是一八六〇年及一九〇〇年英法聯軍兩度攻陷北京，《永樂大典》被殘毀的極多，當一九〇九年國立北平圖書館成立時，僅只接收到《永樂大典》六十四冊，此六十四冊，目前寄存在華盛頓美國國會圖書館中。

前國立北平圖書館館長袁同禮博士，長期以來，搜尋《永樂大典》的下落，多次向國內外調查，屆至民國二十八年（一九三九年）最近一次發表的統計，現分藏於八個國家五十所圖書館及私人藏書家者共計爲六百八十九卷。

楊家駱教授自民國十六年(一九二七年)開始編著《中華大辭典》，爲了《大辭典》的編著，廣收資料，即著手蒐訪《永樂大典》，他或購求影本，或借攝原卷，先後積時三十六年之久，所得共計八百零三卷，其中與袁同禮博士統計所有卷數相同者，共六百七十四卷，袁博士統計所有而楊教授未能購攝取得者十五卷，而袁博士統計所無而楊教授已獲得者共一百二十八卷，雖其數量，僅合《永樂大典》原書二十八分之一，但是，在學術研究上，有助於古籍輯佚及校勘，用途極大。

民國五十二年三月三十日，楊教授將蒐集得到的《永樂大典》存本八百零三卷，並加「前編」及「附編」，一共八百六十五卷，正式刊印出版，精裝爲一百冊，提供給學術界參考，確實是一件極爲重要的貢獻，也增加了「中國學術名著」的價值。

楊教授也曾利用所輯集的《永樂大典》存本，進行了不少學術研究的工作，例如他以《永樂大典》的存本，輯補整理了宋代李燾所撰之《續資治通鑑長編》，校訂了北魏酈道元所撰之《水經注》，又從《永樂大典》的存本之中，輯出了元代所纂修的政書《經世大典》五六十萬字，便都是一些在學術研究上有所貢獻的例子。

5.撰寫要指

楊教授所編刊的「中國學術名著」，於民國五十年（一九六一年）元旦開始，採取間日出書一冊的方式，由世界書局出版，同時，並於每週在「中央日報」刊登所出各書的「要指」一次，楊教授所撰寫的「要指」，仿於劉向《別錄》和《四庫全書總目》的《提要》，在爲世界書局「間日出書一冊」百週紀念而作的〈中國學術名著要指序〉一文中，楊教授說道：「駱撰要指，以辨章學術，剖析源流，揭著述之指歸，明版本之得失爲主，不涉煩瑣之考證，更不屑作廣告語，凡所未讀，不敢妄評，亦不敢刊行。」因此，楊教授在爲每冊新書出版時所撰寫的「要指」，確實都能言之有物，批評中理，也時時具有不少卓越的見解，對於學術的研究，極具參考的價值，例如楊教授在爲唐柳宗元所撰之《柳河東集》四十五卷、《柳河東外集》二卷、《柳河東集補遺》一卷所撰寫之「要指」中說道：

> 宗元河東人，世稱柳河東，少精敏絕倫，爲文章卓偉細緻，爲時輩所推。第進士博學宏詞科，授校書郎，累遷監察御史，坐王叔文黨，貶邵州刺史，後貶永州司馬。永州治今湖南零陵縣，時爲蠻瘴之區，宗元既罹竄逐，乃以山水自遣，其困厄感鬱，一寓於文，自是文思益深。又徙柳州刺史，竟客死不歸，得年僅四十七。韓愈爲文哭之，謂其文

雄深雅健，似司馬遷。蓋韓、柳二家古文在我國文學史上之地位，正如李、杜二家之於詩；二人並世相友，亦與李、杜同。而二人之性行、思想、風格亦正如李、杜之各異：韓不顧流俗，抗顏爲人師，柳深自隱晦，不欲爲人師；韓崇儒道，而力排佛、老，柳喜浮圖，而博涉諸子；韓之文出於經，故長於議論，柳之文出於史，故長於敘述，於寓言遊記尤工，唯周秦諸子及水經注可與比論。韓、柳於古文辭外，皆工爲詩歌，然皆爲文名所掩；韓以作文之法作詩，古奧雄奇，自成一宗，讀之如有韻之文，柳詩學陶淵明，田園之作，淡逸雅健，其文亦如無韻之詩；此二家之大較也。蘇軾謂：『子厚詩發纖穠於簡古，寄至味於淡泊，在陶淵明下，韋蘇州上。退之豪放奇險則過之，而溫麗清深則不及也。』誠爲知言。惟就從事古文運動言，韓之貢獻特大，故注柳集者不如治韓集者之多，今姑取本局舊刊之柳集覆印。

楊教授在此篇「要指」中，敘述了柳宗元的生平、事跡，評論了詩文的成就、影響，以及韓柳之異同關係古文運動等問題，對於讀者了解柳宗元而言，具有一定程度之幫助。又如楊教授在爲清鄭珍所撰之《巢經巢詩鈔》九卷、《巢經巢詩鈔後集》四卷、清黃遵憲所撰之《人境廬詩草》十一卷、錢仲聯所撰之《黃公度年譜》一卷、《人境廬詩草詩話》二卷、王闓運所撰之《湘綺樓詩集》十四卷所撰寫之「要指」說道：

駱輯刊近世詩集，道咸間取龔定庵、鄭子尹、蔣劍人、金亞匏，同光間取曾滌生、李純客、黃公度、江弢叔，清民之交以逮民初十數年間，取鄭海藏、陳散原、王湘綺、易哭庵、陳石遺、趙堯生、黃晦聞、蘇曼殊、黃奇禪、丘滄海、吳碧柳，雖不足盡百年之美，然源流正變，已稍可見。茲期以數年，次第刊行。此冊所容則爲子尹、公度、湘綺三集。石遺區道光以降詩爲二派：一主清蒼幽峭，一主生澀奧衍。其論後者，謂自急就章、鼓吹曲、鐃歌十八曲，以下逮韓愈，迄黃道周，皆所取法。語必驚人，字忌習見，鄭珍爲其冠冕，蓋子尹經師而工爲詩，人讀其集，乃知靈思雋骨，實以錘鍊而愈見也。時惟公度獨不囿於風氣，梁任公曰：『近世詩人能鎔鑄新理想以入舊風格者，當推黃遵憲。其詩獨闢境界，卓然自立於二十世紀詩界中，群尊爲大家，不容誣也。』近之言文學革命者，亦推公度爲先導，今於其集附年譜、詩話約十萬言，爲舊本所無。昔人謂杜詩爲詩史，公度亦然，故讀其作品，非有年譜不能盡明也。與公度相反，並唐宋亦所菲薄而力主魏晉者則爲湘綺。其詩遠規兩漢，旁紹六朝，湘蜀之士宗之，壁壘幾爲一變。集爲湘綺自定，駱按「湘綺樓日記」中所存近體詩每於沈著之中露英爽之氣，惜集中未收，他日當別輯附年譜印行，一以見其工力，一以見其性情，不必強合於一帙也。

楊教授在此篇「要指」之中，敘述了近代重要的詩人、詩派的流變，又評介了鄭子尹、黃公度、王湘綺三人詩風的特色，對於讀者了解近代詩學的概略，確實有其參考的價值。又如楊教授在爲清唐晏所撰之《兩漢三國學案》十一卷所撰寫之「要指」中說道：

> 自《莊子·天下篇》、《淮南子·要略》、司馬談論六家要指、劉歆〈輯略〉，辨章道術，剖判流別；司馬遷《史記》亦創〈儒林列傳〉，以著經學之傳授，後之撰正史者，謹守成規，逐代相續；宋史以訓詁義理途轍顯異，遂裁道學別自爲篇，蓋風會既變，敷敘斯殊，因革損益，惟明於史意者能肆應而歸於一當耳。是編師黃宗羲《明儒學案》之意，分易、書、詩、禮、樂、春秋、論語、孝經、孟子、爾雅爲學案十，又以明經文學列傳別爲專卷次於後，著錄師儒一千廿三人，人各一傳，附繫論學之語，旁搜遠紹，詳於兩漢〈儒林傳〉者奚啻百倍。其依經立案，不循學派分篇，正足表見漢宋儒林道學特徵之各殊，可謂善學梨洲，得其意而遺其跡，世之言兩漢三國學術史者，必以是編爲淵海矣。陳澧撰《漢儒通義》，謂漢儒善言義理，無異宋儒，晚年復論其得失於《東塾讀書記·西漢卷》中（世行《東塾讀書記》皆闕此卷，惟本局近刊本有之），是編凡例曰：「徐偉長云：凡學者大義爲先，物名爲後，大義舉而物名從之。余著此書，但擇取大義，其詹詹於故訓，斤斤於一字者則略之。」學史異於傳注，故與東塾殊途而同歸。自梨洲有宋元明《學案》之作，王梓材復撰《宋元學案補遺》，《清儒學案》則以徐世昌所纂次者集其成，宋以前惟漢魏有是編，所闕先秦學案、晉南北朝唐五代學案，

> 駱試撰亦將竟，竊冀「歷代學案」與歷代正史、歷代會要並能彙刊成帙，庶先哲創體之功，得繩繩相繼而不絕耳！曩者鄭國勳刊《龍溪精舍叢書》，書成後數歲斯稿始成，因復爲補刻，刷印既非同時，故世之藏鄭書者多闕是編；頃見日本《彙文堂書目》列鄭書獨附有之，標值至十五萬元，其難得可知，今取以影印，竊願與學者共讀之耳。

楊教授在此篇「要指」中，敘述了評論學術流別的歷史資料，指出了唐晏所撰《兩漢三國學案》的內容和價值，並提出了刊印「歷代學案」的目標，對於讀者了解學術史的撰著歷程而言，確實有其引導的功用。

總之，楊教授編刊「中國學術名著」，預計十輯，實際出版六輯，從出版內容、編輯體系、版本依據、蒐羅材料、撰寫要指幾個方面分析，大致可以見出其所獲得之某些成果。

三、結　語

楊家駱教授編刊「中國學術名著」，有幾項重點，值得再加敘述：

第一、據楊教授自述，他編刊「中國學術名著」，並不曾增加世界書局一分錢的預算，也不曾增添世界書局的一個人手，完全是在當時書局原有的編制下，以自己一人之力，日作十數小時的工夫，努力從事，進行籌畫編輯的工作。

第二、在出版「中國學術名著」的兩年時間中，世界書局採取

「間日出書一冊」的辦法，不但建立了世界書局在出版事業上的信譽，確立了世界書局在當時出版中國學術著作上的重要地位，同時，也帶動了臺灣出版界蓬勃發展的出版風氣。

第三、楊教授以學者的身份，編刊「中國學術名著」，不但對於書籍的選擇，版本的取捨，資料的博覽收集，加工整理，進行了專業性質的工作，同時，在撰寫所印各書的「要指」時，更能針對學術的得失是非，源流變遷，進行評論與判斷，提供給世人們參考，尤其具有學術的價值。

第四、在六十年代的初期，海峽兩岸仍然處在嚴重隔閡的情況之下，楊教授透過困難的途徑，也冒著被檢索的危險，而刊印了不少大陸學者整理撰寫出版的著作，對於當時臺灣學者了解大陸的學術研究而言，有著極大的助益，雖然，那在影響大陸學者學術著作刊印的版權方面，確實有其瑕疵，但是，那種情形，在當時看來，不免是一項無可奈何的事件，而在今天看來，也只好視爲是一項特殊時代的工作記錄吧。

（此文於民國九十年四月臺北「第三屆海峽兩岸古籍整理學術研討會」中宣讀，並刊載於《書目季刊》三十五卷二期，民國九十年九月出版）

程千帆教授《校讎廣義》讀後

目錄、版本、校勘、與圖書典藏指南，是研治傳統學術的基本知識，也是青年學子研讀中國文史哲學必需修習的基礎課程。具備了這些基本知識以後，在研究學術的進程上，才能夠按圖索驥，了解門徑，從而得到左右逢源的樂趣。

只是，傳統的目錄、版本、校勘、與圖書典藏指南之類的學問，不免稍涉枯澀，能夠以現代的觀點，引導青年們步入此一領域的著述，也不多見。近年以來，南京大學程千帆教授由齊魯書社出版了《校讎廣義》一書，該書分爲「目錄編」、「版本編」、「校勘編」、「典藏編」四冊，對於這一方面的學問，提供了極佳的參考資料。

程千帆教授是一位資深的學者，早在三十年代初期，他即負笈南京金陵大學，隨從著名的學者劉國鈞與汪辟疆學習目錄校讎之學，大學畢業不久，他已在上海中華書局出版了《目錄學叢考》一書（當時是以「程會昌」的原名發表），對於古代目錄之學，提出了極爲精湛的見解，而引起了當時學術界廣泛的注意。

一九四二年，程教授任教於金陵大學，一九四五年以後，程教授任教於武漢大學，都曾講授目錄之學，那時，程教授就已計劃要寫一部比較全面性的目錄學專書，並且在授課之餘，著手撰著。一九七八年，程教授開始在南京大學指導研究生進行學科研究，他仍然從目錄之學入手，作爲研究生們的基本訓練，因此，程教授重新整理舊稿，同時，又得到當時南京大學的研究生徐有富、莫礪鋒、張三夕和山東大學的研究生朱廣祁、吳慶峯、徐超等人的協助，擔任記錄與整理的工作，才完成了《校讎廣義》的油印講稿。

八十年代以後，程教授年事較高，乃將講授目錄學的工作，轉交給徐有富先生擔任，同時，在兩人的合作之下，陸續於一九八八年、一九九一年、一九九八年分別出版了《校讎廣義》一書的「目錄編」、「版本編」、「校勘編」、和「典藏編」等四分冊。

對於「校讎」之學的意義，程教授採取了劉向、劉歆、鄭樵、章學誠等人較為廣義的解釋，以為即是「治書諸學之共名」，而又細分為目錄、版本、校勘、典藏四編，對於以上四者，程教授認為，「要皆校讎之支與流裔」，因此，才以《校讎廣義》作為該書的總名稱。

《校讎廣義》最大的特色，是以現代學術的觀點，蒐集豐富的資料，博覽約取之餘，然後以簡潔明暢的文字，對傳統的目錄、版本、校勘、典藏之學，進行深入淺出的說明，從而引導讀者，邁入研治傳統學術的殿堂，因此，條理清晰，說解中肯，是《校讎廣義》最易嘉惠青年學子的地方。

《校讎廣義》的「目錄編」，分為八章，第一章是〈目錄與目錄學〉，第二章是〈目錄的結構及其功用〉，第三章是〈目錄的著錄事項〉，第四章是〈目錄的分類沿革〉，第五章是〈綜合目錄〉，第六章是〈學科目錄〉，第七章是〈特種目錄〉，第八章是〈目錄的編製〉。八章的內容，有史料的敘述，有理論的說明，也有方法的應用，尤其是第八章〈目錄的編製〉，對於從事目錄的實際編製，更是提供了明確的方針。

《校讎廣義》的「版本編」，分爲七章，第一章是〈版本學的名稱與功用〉，第二章是〈文獻載體〉，第三章是〈紙書的裝式〉，第四章是〈雕印本的品類〉，第五章是〈雕印本的鑒定〉，第六章是〈非雕印本的區分與鑒定〉，第七章是〈對版本的記錄和研究〉。此編對於「版本」方面的基本知識，作出了細密而精確的說明，尤其是書末附有五十幅圖書版式的書影，可以作爲研究及欣賞版本的參考，其中程教授自己批校《史通通釋》的圖影，細字攢聚，也足以反映出前輩學者的治學風範。

《校讎廣義》的「校勘編」，分爲七章，第一章是〈校勘學的界義與功用〉，第二章是〈書面材料錯誤的類型〉，第三章是〈書面材料發生錯誤的原因〉，第四章是〈校勘的資料〉，第五章是〈從事校勘所應具備的知識〉，第六章是〈校勘的方法〉，第七章是〈校勘成果的處理形式〉。此編對於「校勘」方面的基本知識，枚舉實例，加以說明，書末附有李笠所撰〈段玉裁與諸同志論校書之難篇疏證〉及〈廣段玉裁論校書之難〉兩篇文章，也是校勘學上極爲重要的文獻資料。

《校讎廣義》的「典藏編」，分爲六章，第一章是〈典藏學的建立與典藏的功用〉，第二章是〈典藏單位〉，第三章是〈圖書收集〉，第四章是〈書籍亡佚〉，第五章是〈圖書保管〉，第六章是〈圖書流通〉。此編對於圖書典藏與讀書究學的關係，圖書收集保管流通的方法，都提出了清晰的說明。

總之，《校讎廣義》一書，分爲四冊，資料豐富，條理分明，所涉及的內容，並不限於目錄、版本、校勘、典藏方面的知識，同時，也關係著圖書館學、博物館學、文獻學、書籍史、印刷史等方面的知識，關心以上學術的讀者們，都值得去閱讀該一書籍。

此書每編之後，皆附有「參考書目舉要」，讀者也可以就此「書目」，進一步去參閱有關書籍，以增加參考的機會，只是，此書所列舉的參考書目，多以大陸學者的著述爲主，臺灣學者的著述，雖然也列舉了少數幾部，但卻不夠全面，像王叔岷教授的《斠讎學》、昌彼得教授的《中國目錄學》、李曰剛教授的《中國目錄學》、鄭奮鵬教授的《鄭樵的校讎目錄學》等，如果也能收集參考，則內容將更爲完備。

一九九五年十一月，南京大學中文系舉辦「魏晉南北朝文學國際研討會」，筆者攜同小女元玲，前往參加，會議揭幕之後，即由程千帆教授發表主題演講：「關於魏晉南北朝文學研究的一點想法」，程教授以宏觀的視野，敘說了南北朝文學的異同關係，以及近代以來，學者們對於魏晉南北朝文學研究的成果，提出了不少精闢的見解，他並且特別推崇高步瀛先生以漢學家整理經籍的功夫，撰成了《文選李注義疏》一書，也期望當代的學者們，能夠繼續撰寫類似該書的力作。

在會議間歇時，筆者曾趨前向程教授問安，並提到在二十年前，筆者撰寫目錄學的論文時，即已引述過程教授在《目錄學叢考》中的意見，因此，也藉此機會向程教授表示崇敬與感謝的意思，程教授聆聽之後，表示十分高興，筆者又提到先師楊家駱教授生前在臺灣的學術工作及出版《校讎學系編》的情況，程教授連稱楊教授是他相識多年的摯友。會後返臺，筆者即以拙著《中國目錄學研究》一書，空郵寄請程教授賜正，程教授隨後賜下他的《閑堂文藪》一書，書中除了多篇文史論著之外，也收集了他早年在《目錄學叢考》

中的論文。

程教授給人的印象，確實是一位慈祥和藹的長者，令人覺得既可尊敬，又可親近。前些時候，購讀了他的《校讎廣義》，即想要撰一短文，將該書介紹給有志研習傳統學術的青年們閱讀，近日，卻又得到消息，說是程教授已於六月初以八十八歲的高齡溘然仙逝，心中震驚之餘，也藉此短文，對於程教授的去世，表示由衷的悼念之意。

跋張舜徽教授《四庫提要敘講疏》

目錄之學，肇端於劉向歆父子典校秘籍之時，劉氏父子，所撰《別錄》、《七略》之書，論其體制，大要有三，一曰篇目，二曰敘錄，三曰小序。篇目者，所以考一書之源流；敘錄者，所以考一人之源流；小序者，所以考一家之源流。三者之用，皆所以辨章學術者也。

然自《別錄》、《七略》失傳之後，後世目錄書籍，已罕能考知篇目之功用，是以自《漢書藝文志》、《隋書經籍志》以下，馴至宋代王堯臣、歐陽修、晁公武、陳振孫等人所撰目錄之書，或偏重敘錄，或詳於小序，要皆不能恢復《別錄》、《七略》體制之全者也。

迄於清代乾隆年間，集朝廷之力，纂修《四庫全書》，時經九載，成書一萬八千餘卷，書成，又命紀曉嵐等，撰爲《總目》凡二百卷，即世所稱《四庫全書總目提要》者也，其書於敘錄與小序部分，特爲詳審。其中敘錄一項，改稱提要，於所收每一書籍，或考證作者之生平，或辨析書中之義趣，或檢覈內容之疑似，蓋於古今數千種著述之旨要，皆能剖析毫芒，詳論其是非者也。至於小序一項，隨其種別，釐爲四部，析爲四十四類，每類小序，各敘一家之源流發展，專論一派之優劣得失，蓋於數千年學術變遷之大勢，皆能挈其綱領，有條而不紊者也。是以後世言目錄之效用者，亦咸推《四庫提要》一書，最能集斯學之大成也。

《四庫全書總目》一書，撰成於乾隆四十七年，自是以下，漢學興盛，考據篤實，提要一項，每有不盡饜於人意者，後世學者，覓隙攻錯，補其未備，而胡玉縉之《四庫提要補正》，余嘉錫之《四庫提要辨證》，尤爲精確。《四庫總目》中提要一項，得二家書之輔佐，其爲用也，亦愈益廣大焉。

至於《四庫總目》中小序一項，四部之下，四十四類，其於古今學術之變遷，雖能總持少文，明其梗概，然欲詳究本末，洞澈精微，則似猶有待焉。

沅江張舜徽先生，自幼篤學，趨庭受教，長遊燕京，遍訪通人，治學自文字訓詁入手，博觀典籍，而於鄭漁仲章實齋二家之學，尤爲篤好。數十年間，講學上庠，著述等身，其最要者，如《周秦道論發微》、《漢書藝文志通釋》、《說文解字約注》、《鄭學叢著》、《廣校讎略》、《史學三書平議》、《顧亭林學記》、《清代揚州學記》、《清儒學記》、《清人文集別錄》、《中國古代史籍校讀法》等，則早已風行海內，深受學界之重視矣。

舜徽先生所撰《四庫提要敘講疏》一書，其於《四庫總目》中四十四類小序，四部總序，一一爲之詳加疏解，細作箋釋，明其淵源，暢其流別。讀是書者，手此一編，而於《四庫總目》所有各序，委實有觀瀾索海，探本尋源之樂，亦不啻周覽數十種學術流變之發展史也，則其有功於後學者，豈淺鮮哉！

臺灣學生書局，將取舜徽先生是書，在臺重印，以廣流傳，執事先生，陳君仕華，知余嗜讀舜徽先生之書，因囑略綴數語，以當紹介，余遂草成茲篇，用跋其書之末，並爲世之同嗜舜徽先生書者告焉。

歲次辛巳十二月　**胡楚生**識於東吳大學中文系

我與《書目季刊》

我與《書目季刊》「結緣」，是由於對目錄學的偏好，也是由於屈師翼鵬的引薦。

民國五十五年，我應聘至新加坡南洋大學中文系任教，當時一同前往的，還有楊承祖與皮述民兩位先生，我們到達的那年，正值南洋大學新舊學制交替的過渡時期，那時，南洋大學接受了新加坡政府的督導，將美式的大學制度，更改爲英式的制度，民國五十八年，新制榮譽班的課程之中，初設目錄學一科，系主任李陸琦（孝定）先生要我擔任，我在師大國文研究所就讀的時候，曾從蔣師慰堂修習過版本學，也曾旁聽過許師詩英的目錄學，在從楊師家駱撰寫論文《釋名考》時，也曾蒐檢過許多目錄版本的書籍，所以，對於目錄的功能，已略有所窺，對於目錄學的興趣，也一直很高，雖然不曾任教過目錄學，但是，李先生既然要我擔任此課，也只好懷著兢兢業業的心情承擔下來，南洋大學的新制課程，特別注重「研討」（tutorial），每週兩小時的一門功課，必需另外增加一小時的研討課，（學生多時，則分組舉行）由教師先行擬具研討題目，學生們自己擬具大綱，蒐集資料，撰寫報告，然後在教師的指導下，自由發言，相互討論。

爲了替研討課準備題目，爲了協助學生尋覓資料，自己也不得不廣泛地去接觸更多有關目錄的書籍，那時，《書目季刊》剛剛創刊不久，由於印刷精美，內容充實，不但刊載了一些專門問題的論著，也報導了許多學術研究與圖書出版的消息，尤其是季刊中「全國雜誌文史哲論文要目索引」、「全國出版界最新出版圖書簡目」、「最新學報及研究集刊文史哲論文要目索引」，以及後來增闢的「中華民國文史界學人著作目錄」，更是研究目錄學者必需參考的資料，因此，每期寄到的《書目季刊》，自然成爲常置案頭、隨時檢閱的良伴了。

民國五十九年夏天，屈翼鵬先生受邀到南洋大學中文系客座一年，當時，系主任李先生商之於我，告以屈先生是古籍版本目錄的專家，能否考慮將目錄學轉請屈先生教授一年，我立即答應，因爲，對於屈先生，我是心儀已久，卻一直無緣晉謁，唸大學時，曾經讀過屈先生的大著《尚書釋義》與《詩經釋義》，唸研究所時，也曾讀過他與昌瑞卿先生合著的《圖書版本學要略》，早已欽仰他是一位學養深厚的著名學者，這次能有機會在海外相逢，自然是最感興奮的事情，同時，心中也興起了一個念頭，學然後知不足，教然後知困，何不藉此機會，旁聽一下屈先生的講課，也可以多充實一點自己的學識呢！等到屈先生抵校之後，在謁見時，我即誠懇地向他提出旁聽的請求，當即承蒙屈先生含笑地首肯。

目錄學一年的課程，屈師以《古籍導讀》作爲藍本，他不像一般講授目錄學的那樣？只局限在目錄的沿革變遷，以及圖書類例的分合方面，屈師所講授的，毋寧說廣義的目錄學，他將我國學術的演進，藉著目錄的分合，從而講明學術流別的大要，由六經諸子，一直到近代漢學研究的新資料、新趨向，他都如數家珍地一一介紹，清晰地交代出來，一年的課程，不但使我受益良多，也使我深深地感覺到，像屈師那樣的講授方式，才眞正符合了章學誠所說的「辨章學術，考鏡源流」的理想，而那樣的講授方式，除非是胸羅萬卷，融會貫通的學者，是無法作到的。

那時，我剛寫成了一篇〈隋書經籍志纂例〉的小文，是專爲紬繹隋志條例的作品，大體上，是沿承孫德謙〈漢書藝文志舉例〉的體裁，當即呈請屈師寓目，屈師看過之後，提出一些需要修改的地方，並建議將「纂例」二字，改爲「述例」，那篇文章，後來刊登在南洋大學學報之上，那也是我所撰寫有關目錄學的第一篇論著。

平時，屈師給人的印象，總是比較嚴肅，但是，一接近他，就會發現，他在嚴肅中卻蘊含著親切，言談中又極其懇摯，尤其是對於後進的鼓勵獎掖，更是不遺餘力，每次向他請教問題，他都會細心地說明，不厭其詳地叮嚀周至，在南洋大學的那一年，據屈師說，是他近些年來，工作最輕鬆，心情最悠閒的一年，也因此，我也才能有較多的機會，在課餘時，向他請教，有時，屈師也鼓勵我將撰成的學術論文，交由《書目季刊》發表，直到那時，我才知道《書目季刊》是由屈師主持編務的，只是那時自己教學工作忙碌，能夠兼顧研究的時間實在不多，一直等到屈師返國之後，我才撰寫了另外兩篇論文，〈目錄家互著說平議〉與〈目錄家別裁說平議〉，那兩篇論文，其基本上，都是針對章學誠的理論而發。因爲，在傳統的目錄學上，章學誠雖然是一位最具創解的思想家，但是，在《校讎通義》中，他所謂的「互著」和「別裁」，經我探索之後，當時的感覺是，「互著」「別裁」，在目錄學上，確實有著它們應用的價值，但是，章學誠僅僅憑藉《漢書·藝文志》，去上溯經已亡佚的《七略》及《別錄》的體例，從而認爲《七略》、《別錄》之中，已經應用了「互著」「別裁」的方法，卻是不易取信於人的說法。在那兩個問題上，我總覺得，「價値」和「事實」，是可以分開來討論的，因此，才撰寫了那兩篇論文，前者送交南洋大學學報發表，後者即航郵寄呈屈師，屈師閱後，很快賜覆，表示即將交由《書目季刊》發表，那是我在《書目季刊》發表的第一篇文章，也是我與《書目季刊》「結緣」的開始。

以後幾年，因爲全力專注博士論文《潛夫論校釋》的撰寫，所以也未曾繼續爲《書目季刊》寫稿。民國六十八年二月，屈師仙逝的消息傳至星洲，大家心中都沉痛萬分，系中同仁，也曾在當地報端刊登了輓辭，表示追思哀悼之意。那年八月，我辭去了南洋大學的教職，返回國內，任教於中興大學，課餘得暇，偶有撰述，才又與《書目季刊》有了聯繫，首先撰就的是〈全國博碩士論文分類目錄中有關中國文史哲學論文之分析〉一文，是請王國良先生轉送給《季刊》主編羅聯添教授的，那是一篇對於近三十年來，國內文史哲學界博碩士論文的分析工作，從統計與分析中，希望能夠探索出一些文史哲學研究的方向與得失，以作爲學者們比較改進的參考。

稍後，好友劉兆祐教授接任了《季刊》的主編，他是屈師的高足，也是精擅版本目錄之學的專家，由於他的邀稿，或者是自己主動地寄奉稿件，這幾年來，在《書目季刊》之上，我也陸續地發表了幾篇文章，尤其是在「屈翼鵬院士逝世六週年紀念專刊」之中，拙稿〈儒行考證〉能獲刊載，也算是對於屈師當年的教誨，多少表示了一些由衷的感激之情。

近年來，《書目季刊》在兆祐兄的費心主持之下，也開展了不少的新猷，首先是增加了「新書提要」的專欄，使得讀者們很快地便能獲知近期出版新書的內容，此外，兆祐兄也將「中華民國文史界學人著作目錄」，擴大爲「當代漢學家著作目錄」，這更是加強了海內外學術訊息的交換功能，拓廣了《書目季刊》的服務層面，也使得《季刊》的傳播效用，更上層樓。

光陰荏苒，歲月不居，《書目季刊》創刊迄今，已屆二十週年，二十年來，海內外文史哲學界受惠於《書目季刊》的讀者，何止千萬，作爲一名《季刊》的忠實讀者，自己不但對於《季刊》持有一份親切的感情，同時，也祝福《書目季刊》，在各方面，都能夠日新又新，精進不已，繼續扮演它在學術界交流上的重要角色，繼續發揮它在學術研究上的重要貢獻。

（此文原刊載於《書目季刊》二十一卷一期，民國七十五年十月出版）

宏揚文化　名山事業
——賀學生書局三十週年

民國五十年八月，我考進師範大學國文研究所，攻讀碩士學位，與羅宗濤兄、周虎林兄，在師大對面的麗水街，賃屋共處，居一斗室。平時，除了上課之外，就是在室內昏暗的燈光之下，圈點那十部國學要籍。深夜，才將榻榻米上的矮桌靠牆豎起，將被捲舖下，三人並排入睡。那時生活雖然艱苦，精神上卻十分愉快；讀書寫作，更是快馬加鞭的進行。抽點空暇，一起去吃碗紅豆湯，逛逛書店，就是莫大的享受了。

那時，和平東路的馬路還不曾拓寬，周遭非常清靜，靠近師大大門這一邊的路旁，店舖尤其稀少。出校門左轉，大約走上五六十步，就是學生書局的小樓所在。那時，學生書局剛剛創辦不久，在師大附近，也是唯一較具規模的書店。旁邊緊接著的是幾家餐飲店。我們常去光顧的那家餐館，雖然只有老闆夫婦二人簡單的經營，客飯卻便宜可口。那時，經常一同去進餐的，還有金榮華兄、張棣華女士和她的姑姑白蘋女士。飯後，散步回家，經過學生書局，總會進去翻翻圖書，看看是否會有新近出版的書刊。那時，韓國留華學生李炳漢兄，也租屋住在學生書局的樓上。有時，我們翻過書刊，就去找炳漢兄聊聊，大家相處得非常融洽。那一段時光，確是十分令人回味。

嗣後幾年，學生書局陸續出版了不少的好書，已頗引起人們的注視。民國五十五年，學生書局出版了《書目季刊》，那是一本高水準的專門性學術刊物，更是引起了學術界的重視。那一年，我也應聘到新加坡南洋大學去任教。那時候，學術界的資訊交換並不發達，專門性的書目雜誌，尤其稀少，唯一能夠藉以了解國內的學術研究情況與圖書出版消息的，只有《書目季刊》。因此，身居海外，而能與國內學界有著天涯比鄰的感覺，可以說是深受《書目季刊》之所賜。民國五十八年，屈翼鵬先生前往南洋大學擔任客座教授，經由他的鼓勵，我的蕪文——〈目錄家別裁說平議〉，也首次刊登在《書目季刊》之上。

民國六十八年，我辭去了南洋大學的教職，返回國內，在中興大學任教。睽別了十多年，學生書局已經由師大大門口的左側，遷往羅斯福路三段，又由羅斯福路三段，遷回到師大大門的右側，規模也較以前盛大得多；同時，也出版了許多深受學界讚賞的好書，像熊十力、唐君毅、牟宗三、徐復觀先生的哲學著作，像全國各地的方志叢書，像成套的史學叢刊，像包羅廣泛的文學叢書，像見解新穎的語文叢書等等，都是份量巨大、內容精深、膾炙人口的專門著作，也都是自己喜歡閱讀瀏覽的一些書刊。這時的學生書局，已經逐漸成爲國內學術界極受矚目的出版企業了。

稍後，好友劉兆祐兄接任了《書目季刊》的主編，由於他的邀稿，加上自己主動的投寄，這幾年來，計算一下，自己發表在《書目季刊》上的學術專論，已經達到了七篇之多。同時，由於他的介紹，我也認識了學生書局的幾位執事，像丁文治先生、鮑家驊先生、盧成信先生、黃新新小姐，也更了解到他們都是對於宏揚文化，抱著極高的熱忱，在艱苦中共同奮鬥的創業者。民國七十七年二月，拙著《清代學術史研究》一書，更由學生書局出版。想想自己與學生書局的緣份，眞可說是異常深厚了。

時光荏苒，歲月飛逝，學生書局創辦迄今，已屆三十週年。三十年來，學生書局由一所小規模的私人企業，由幾位志同道合的友人，共同努力，在資金人力都十分短絀的情況下，艱苦奮鬥，堅持理想，出版了大批的學術著作，時至今日，已經發展成爲一所譽滿中外、眾所矚目的出版機構。作爲一個受益良多的讀書人，親自目睹了書局成長的歷程，除了對於書局的各位執事先生，深表欽敬與賀忱之外，同時，也更期望學生書局能夠再接再厲，精進不已，出版更多的好書，嘉惠中外的讀者，再行創造出版事業的新紀元。

（此文原刊載於《學生書局三十年》，民國七十九年三月出版）

《潛夫論》之「校釋」與「集釋」

一、引　言

《潛夫論》是東漢王符的著作，《後漢書》以王充、王符、仲長統三人同傳，〈王符傳〉說：「王符字節信，安定臨涇人也，少好學，有志操，與馬融、竇章、張衡、崔瑗等友善，安定俗鄙庶孽，而符無外家，爲鄉人所賤。自和、安之後，世務游宦，當塗者更相薦引，而符獨耿介不同於俗，以此遂不得升進，志意蘊憤，乃隱居著書三十餘篇，以譏當時得失，不欲章顯其名，故號曰《潛夫論》。」

王充撰有《論衡》，仲長統撰有《昌言》，《四庫提要》曾說：「今以三家之書相較，符書洞悉政體似《昌言》，而明切過之，辨別是非似《論衡》，而醇正過之，前史列之儒家，斯爲不愧。」對於三家之書，也以《潛夫論》的評價較高。只是，三家之書，仲長統的《昌言》，早已亡佚，目前僅存輯本，王充的《論衡》，近世以來，研究的學人極多，而《潛夫論》一書，則自從刊刻以來，整理研究的學者，並不多見。

今傳《潛夫論》的刊刻，要以錢遵王述古堂影宋寫本爲最早，近世商務印書館《四部叢刊》，即據此本加以影印，此外，明人胡維新《兩京遺編》、程榮《漢魏叢書》，也皆有刊本，另外，清人汪繼培撰有《潛夫論箋》一書，王紹蘭在〈潛夫論箋敘〉中，稱讚該書，「解謬達恉，傳信闕疑，博訪通人，致精極覈，且能規節信之過，而理董之」，汪氏之書，是《潛夫論》最早的箋注之作，汪氏之書問世以後，《潛夫論》一書，才易於誦讀。

汪繼培在撰寫《潛夫論箋》時，曾經採擇了一些王紹蘭的說法，收入書內。此外，俞樾在《曲園雜纂》之中，孫詒讓在《札迻》之中，對於《潛夫論》，都有或多或少的校訂意見，值得參考。

二、《潛夫論校釋》

一九七三年，筆者在新加坡南洋大學進修博士學位，當時撰寫的論文題目是「潛夫論校釋」，指導教授是王忠林博士，而王叔岷教授當時也在南洋大學任教，在論文撰寫時，曾經給予筆者許多寶貴的指點意見。

《潛夫論校釋》的撰寫，首先，是選定錢遵王述古堂景宋寫本作爲底本，其次，是搜集了一些不同的刊本，作爲校勘的輔本，輔本計有：

明萬曆胡維新所刊《兩京遺編》本（省稱胡本）
明萬曆程榮所刊《漢魏叢書》本（省稱程本）
明萬曆何允中所刊《廣漢魏叢書》本（省稱何本）
清乾隆王謨所刊《增訂漢魏叢書》本（省稱王本）
清嘉慶陳春《湖海樓叢書》所刊汪繼培箋注本（省稱汪本）
清王緒湖北崇文書局所刊《子書百家》本（省稱崇文本）

清宣統育文書局石印精校王謨《增訂漢魏叢書》本（省稱育文本）

民國上海掃葉山房所刊《百子全書》本（省稱掃葉本）

日本天明七年浪華六藝堂刊本（省稱日刊本）

另外，參校的資料還有：

范曄《後漢書·王符傳》中所錄《潛夫論》中〈貴忠〉、〈浮侈〉、〈實貢〉、〈愛日〉、〈述赦〉等五篇文字。（《後漢書》根據王先謙《後漢書集解》本）

唐馬總《意林》中所錄《潛夫論》文字

唐魏徵《群書治要》中所錄《潛夫論》文字

清俞樾《諸子平議補錄》中有關《潛夫論》部分

清孫詒讓《札迻》中有關《潛夫論》部分

另外，古注類書，如《文選注》、《北堂書鈔》、《藝文類聚》、《初學記》、《淵鑑類函》、《廣博物志》、《太平御覽》、《經濟類編》、《天中記》、《喻林》、《古今圖書集成》等書中所徵引《潛夫論》之部分，雖然不免有增刪臆改之處，但也保存了不少《潛天論》的資料，足供參稽比較判斷之用。

拙著《潛夫論校釋》，以條校的方式，對於《潛夫論》的正文，作出了全面的「校勘」，至於在「訓釋」的部分，則是以汪繼培的《潛夫論箋》作基礎，再參以清代學者們的詮解，而作出了不少釋義的工作。要之，拙著《潛夫論校釋》，對於《潛夫論》一書，在「校」與「釋」的方面，都作出了進一步的探究。

三、《潛夫論集釋》

一九七六年，拙稿《潛夫論校釋》完成，並曾寫印數十部，當時曾以拙稿，寄呈給楊師家駱教授寓目，楊師來函指出，《潛夫論校釋》之作，對於學術研究，不無裨益，擬轉介鼎文書局，排印出版，以供參考，但也指出，該稿體例，僅錄條校部分，對於想要閱覽《潛夫論》的讀者，並不方便，因此指示最好改爲《集釋》之體，先將《潛夫論》的正文全部錄出，分段標點，再將汪繼培對《潛夫論》所作的箋注也全部列入，然後再將《潛夫論校釋》的部分，配合《潛夫論》的正文，與汪繼培的箋注，依次整合，而將《潛夫論校釋》轉變爲《潛夫論集釋》，筆者接受楊師的指示以後，經過一年的時間，方才整理完成，交由臺北鼎文書局，並於一九七九年十一月正式出版。

《潛夫論集釋》一書，所從事的工作，計有以下幾項：

1.校勘正文之訛誤

汪繼培撰《潛夫論箋》，僅據元代刊本，而未見宋本，因此，時有景宋本不誤而汪氏箋校臆改反致錯誤者，也有景宋本不誤而汪氏箋注據程榮本或何允中本更改而錯誤者，《潛夫論校釋》，則以景宋寫本爲據，進而參酌各本，校定《潛夫論》本文的訛誤。例如《潛夫論·思賢第八》云：

是故先王爲官擇人，必得其材，功加於人，德稱其位，人謀鬼謀，百姓與能，務順以動天地如此，三代開國建侯，所以（能）傳嗣百世，歷載千數者也。

《潛夫論集釋》云：

楚生案：此句疑當於「天地」下絕句，「務順以動天地」，語義已完，「如」字疑衍，「此」字屬下句讀，《治要》引三代上有「此」字，可證。

又如《潛夫論·勸將第二十一》云：

前羌始反時，將帥以定令之群，籍富厚之蓄，據列城而氣利勢，權十萬之眾，將勇傑之士，以誅草創新叛散亂之弱虜，擊自至之小寇，不能擒滅，輒爲所敗，令遂雲烝起，合從連橫，掃滌并源，内犯司隸，東寇趙魏，西鈔蜀漢，五洲殘破，六郡削跡。

汪繼培《潛夫論箋》云：

（烝）下脱一字。

《潛夫論集釋》云：

楚生案：《古今圖書集成·明倫彙編·宦常典》四百四十卷《將帥部》引烝下有「霧」字，當從之，令遂二字疑當互乙作「遂令」，此承上文，謂守相令長，以地勢兵眾之利，不能擒滅羌虜，乃遂令羌虜之勢，如雲之烝，如霧之起，瀰漫而不可收拾矣，下文東鈔西寇數句，正承此文羌勢之大而言者。

以上，是校勘《潛夫論》正文之例。

2.訂正箋注之疏謬

汪繼培的《潛夫論箋》，在引用書籍方面，往往有篇名章節的錯誤，或有刪節脫落的錯誤，《集釋》則對於汪氏引用的書籍，多加複檢，詳加訂正。例如《潛夫論·讚學第一》云：

箕子陳六極，國風歌北門，故所謂不憂貧也，豈好貧而弗之憂邪。

汪繼培《潛夫論箋》云：

《詩·衛風》。

《潛夫論集釋》云：

楚生案：〈北門〉詩屬〈邶風〉，汪氏屬之〈衛風〉，失檢，〈北門〉，〈小序〉以爲刺士不得志也。

又如《潛夫論·遏利第三》云：

鄧通死無簪，勝跪伐其身，是故天子不能違天，富無功，諸侯不能違帝，厚私勸。

汪繼培《潛夫論箋》云：

跪，當作「詭」，公孫勝、羊詭，見《史記·梁孝王世家》。

《潛夫論集釋》云：

> 楚生案：《史記》作羊勝、公孫詭，汪氏失檢。

以上，是訂正汪繼培箋注失誤之例。

3.考定異說之是非

《潛夫論》一書，從汪繼培的箋釋以下，各家的注解，往往異說紛陳，莫衷一是，《集釋》對於此一現象，則爲之比勘眾說，試加論定。例如《潛夫論·讚學第一》云：

> 當世學士，恆以萬計，而究塗者，無數十焉，其故何也，其富者則以賄玷精，貧者則以乏易計，或以喪亂，朞其年歲，此其所以逮初喪功而及其童蒙者也。

汪繼培《潛夫論箋》云：

> 朞，疑「稽」之誤，《後漢書·列女傳》：「樂羊子妻曰，稽費時日。」

俞樾《諸子平議補錄》云：

> 朞，與「綦」通，《荀子·王霸篇》：「目欲綦色，耳欲朞聲。」《楊倞注》曰：「綦，極也。」字亦作「期」，〈議兵篇〉：「已朞三年，然後民可信也。」〈宥坐篇〉：「綦三年而百姓往矣。」兩篇文義正同，是朞與「期」通也，或以喪亂朞其年歲，言窮極其年歲也，汪氏繼培《箋》

云：「綦，疑稽之誤。」非是。

《潛夫論集釋》云：

楚生案：綦，疑讀爲「羈」，《呂氏春秋·決勝》：「而有以羈誘之也。」《高注》：「羈，牽也。」《文選》司馬遷〈報任少卿書〉：「僕少負不羈之行。」《注》：「善曰，不羈，言材高遠，不可羈繫也。」然則羈其年歲，謂牽繫縻絆其年歲時日，使不得竟其學問之功也。

又如《潛夫論·考績第七》云：

夫聖人爲天口，賢者爲聖譯，是故聖人之言，天之心也，賢者之所說，聖人之意也。

汪繼培《潛夫論箋》云：

譯，疑當作「鐸」，《法言·學行篇》云：「天之道，不在仲尼乎，仲尼駕說者也，不在茲儒乎，如將復駕其所說，則莫若使諸儒金口而木舌。」金口木舌，鐸也。《論語》云：「天將以夫子爲木鐸。」《皇疏》云：「鐸，用銅鐵爲之，若行武教，則用銅鐵爲舌，若行文教，則用木舌，謂之木鐸。」

俞樾《諸子平議補錄》云：

《說文》言部：「譯，傳譯四夷之言者。」天無言而聖人代之言，故曰爲天口，聖人之言，人不易曉，而賢者爲通其指趣，故曰爲聖譯，《周禮·序官·象胥·疏》曰：「譯即易，謂換易言語使相解也。」譯字不誤，《汪箋》云：「疑當作鐸。」非是。

《潛夫論集釋》云：

楚生案：俞説是也，下文「賢者之所說，聖人之意也」，與「賢者爲聖譯」義同，可證。

以上，是考定異說的例子。

4.詮釋詞語之意義

對於《潛夫論》的注解，從汪繼培的箋釋以下，大抵是求其故實者多，詮釋詞語、貫串意義者少，《集釋》之作，在這一方面，措意較多。例如《潛夫論·救邊第二十二》云：

今羌叛久矣，傷害多矣，百姓急矣，憂禍深矣，上下相從，未見休時，不一命大將，以掃醜虜，而州（郡）稍稍興役，連連不已，若排榱障風，探沙灌河，無所能禦，徒自盡爾。

汪繼培《潛夫論箋》云：

《意林》作「無益於事，徒自弊耳。」

《潛夫論集釋》云：

楚生案：作「弊」字義長，弊猶困也疲也，此承上文，謂羌叛已久，傷害已多，而朝廷不一命大將，掃平醜虜，而

> 唯憑州郡稍稍興兵，與羌抗衡，此則猶如排籬以障風，掬沙以壅河，不僅無益於禦寇，亦徒然自爲困疲也。

又如《潛夫論·本政第九》云：

> 否泰消息，陰陽不並，觀其所聚，而興衰之端可見也。

汪繼培《潛夫論箋》云：

> 《易·萃·象》曰：「觀其所聚，而天地萬物之情可見矣。」

《潛夫論集釋》云：

> 楚生案：《易·萃·王注》：「情同而後乃聚，氣合而後乃群。」《孔疏》：「凡物之所以得聚者，由情同也，情志若乖，無由得聚。」此承上文，言若君子相聚，則小人道消，而興隆之端，即在是矣，反之，小人相聚，則君子道消，而衰弊之端，容可見也。

以上，是詮釋詞語、貫串文義之例。

要之，拙著《潛夫論集釋》，所從事者，大抵有以上之四種工作。

四、彭鐸教授校正《潛夫論箋》

一九七九年四月，北京中華書局出版了甘肅師範大學彭鐸教授所校正的《潛夫論箋》，該書將汪繼培的《潛夫論箋》，標點分章，重排印行，彭鐸教授並在該書的文字訓詁方面，做出了一些補充闡釋的工作，附於汪箋之後，而以圈記隔開，復加「鐸按」字樣，以清眉目。

拙著《潛夫論集釋》於一九七九年十一月由臺北鼎文書局出版，彭鐸教授校正之《潛夫論箋》於一九七九年四月由北京中華書局出版，彭教授之書，稍後幾年，由友人蒙傳銘教授自香港寄贈一冊，才獲得誦讀，經取拙著與彭教授之書，略作比對，發現兩書既有相同之處，也有不同之處，例如《潛夫論·讚學第一》云：

> 夫此十一君者，皆上聖也，猶待學問，其智乃博，其德乃碩，而況於凡人乎？

彭教授《校正》云：

> 鐸按：「猶」，《群書治要》作「由」，《太平御覽》六百七引同，古字通用。

《潛夫論集釋》云：

> 楚生案：《治要》引猶作「由」，《御覽》六百七引亦作「由」，由，與「猶」通。此文謂十一君，然周公孔子非君，蓋連類而及之者也。

彭教授之書與拙著皆引《群書治要》及《太平御覽》爲證。又如《潛夫論·潛歎第十》云：

> 凡有國之君者，未嘗不欲治也，而治不世見者，所任不賢

故也。

彭教授《校正》云：

> 鐸按：《治要》作「所任不固也」，「固」與「故」同，脫「賢」字。

《潛夫論集釋》云：

> 楚生案：《治要》引不賢故也作「不固也」，《治要》原校云：「固作賢」，此當作「不賢故也」。

彭教授與拙著皆引《群書治要》爲證。又如《潛夫論·邊議第二十三》云：

> 羌始反時，計謀未善，黨與未成，人眾未合，兵器未備，或持竹木枝，或空手相附，草食散亂，未有都督，甚易破也。

彭教授《校正》云：

> 鐸按：「附」疑當作「拊」。

《潛夫論集釋》云：

> 楚生案：附疑當作「拊」，《廣雅·釋詁》：「拊，擊也。」《文選》馬融〈長笛賦〉：「拊譟踴躍。」梁章鉅《文選旁證》：「六臣本拊作附。」亦其例。

以上數條，皆拙著所見與彭教授意見相同之例。至於所見或有不相同者，則如《潛夫論·讚學第一》云：

> 而況君子敦貞之質，察敏之才，攝之以良朋，教之以明師，文之以禮樂，導之以詩書，讚之以周易，明之以春秋，其有不濟乎？

汪繼培《潛夫論箋》云：

> 《治要》「讚」上有「幽」字，王先生宗炎云：「明下有脫字，當與幽讚對。」

彭教授《校正》云：

> 鐸按：上下皆五字句，作「幽讚」則句法參差矣。《治要》「幽」字蓋因《易·說卦》「幽贊於神明而生蓍」句誤加，王說非是。

《潛夫論集釋》云：

> 楚生案：明下疑脫一「修」字，《廣雅·釋詁》：「修，治也。」《禮記·學記》：「藏焉修焉。」《鄭注》：「修，習也。」明修之以春秋，謂明習之以春秋也，「明修」與「幽讚」正相對。《易·說卦》：「幽贊於神明而生蓍。」《韓注》：「幽、深也，贊、明也。」幽讚與幽贊同。楚生又案：《御覽》六百七引此句作「幽讚之以春秋。」

又如《潛夫論·思賢第八》云：

苟非其人，則規不圓而矩不方，繩不直而準不平，鑽燧不得火，鼓石不下金，金馬不可以追速，土舟不可以涉水也。

汪繼培《潛夫論箋》云：

「驅馬」、「進舟」，舊作「金馬」、「土舟」，據《治要》改。鑽、鼓，驅、進同類。

彭教授《校正》云：

鐸按：驅馬、進舟並行之疾者，不得其人而用之，則不可追速涉水，作金馬、土舟，則非其指。《治要》是也。

《潛夫論集釋》云：

楚生案：《治要》金作「驅」，汪本據改，是也，作「金」者，蒙上文「鼓石不下金」而衍者也，又奪「驅」字，育文本金亦作「驅」。《治要》土作「進」，汪本據改，疑不可從，土當作「傕」，土為「傕」之壞字，《治要》作「進」者，疑係傕字之形訛，傕舟與驅馬，義正相當。

以上所舉，則是拙著與彭教授意見不同之例。要之，彭教授對於《潛夫論箋》所作之《校正》，在解釋詞語意義，以本書文句相互詮證方面，致力較多，而拙著《潛夫論集釋》，在校勘正文、疏釋詞義方面，用力稍多，兩書研討的重點，所以有此差異，主要在於，兩書撰著的用意，有所不同，彭教授的《校正》，是以整理汪繼培的《潛夫論箋》為主，而拙著則是直接整理王符的《潛夫論》為主，用意有此分別，工作重點便不免稍有差異。

五、結　語

王符的《潛夫論》一書，在漢代的子書中，自成一家之言，在史學的研究上，可以協助我們了解許多東漢的史實，是一部極有價值的著述，但是，自從東漢以後，一直乏人注意，乏人整理，直到清代，汪繼培才進行了全面的箋注工作，而在一九七九年，彭鐸教授及筆者，則分別在北京與臺北出版了《潛夫論箋》的「校正」與《潛夫論集釋》，對於讀者閱覽《潛夫論》而言，提供了兩本全面參考的著作，從事學術研究的朋友們，如果同時參考這兩部書籍，相信對於了解《潛夫論》的內容，將會有一些幫助。

另外，筆者在《潛夫論集釋》的書末，附載了一篇拙著〈王符思想中一基本觀念「人道曰爲」之解析〉，對於了解王符的思想，也可供作參考之用。

（此文於一九九八年十月北京「第二屆海峽兩岸古籍整理學術研討會」中宣讀）

清代學術史之研究與省思

一、引 言

一九五七年，我進入臺北東吳大學中文系就讀，當時，講授文字學的林景伊（尹）老師，指定我們閱讀段玉裁的《說文解字注》，這是個人接觸到清儒學術著作的開始，由於個人興趣的偏好，接著，個人便閱讀了一系列梁任公和錢賓四兩位先生的著作，尤其是像梁先生的《清代學術概論》、《中國近三百年學術史》、《中國歷史研究法》，以及錢先生的《國學概論》、《國史大綱》、《中國近三百年學術史》，讀後的印象最爲深刻。

八十年代開始，個人研究的重點，轉移到清代的學術思想方面，一九八八年二月，由臺北學生書局出版了《清代學術史研究》一書，一九九四年十二月，又出版了《清代學術史研究續編》一書，在這兩冊拙著中，一共收集了三十三篇論文，對於清代學術，提出了一點個人研究的心得。

以下，即先就拙著這三十三篇論文，試作一些簡略的分析，以就教於方家。

二、研　究

1.就時代先後分析

梁任公先生在《清代學術概論》之中，曾經將清代接近三百年的學術發展，分爲「啓蒙期」、「全盛期」、「蛻分期」、「衰落期」等四個時期，他所謂的「啓蒙期」，大約自明代末葉天啓崇禎年間，以至於清初康熙雍正年間，（約當西元1621—1735年），「全盛期」大約自乾隆年間，以至於嘉慶年間，（約當西元1736—1820年），「蛻分期」大約自道光年間，以至於同治年間，（約當西元1821—1874年），「衰落期」則大約自光緒以下，以至於宣統年間，（約當西元1875—1911年），只是，學術的分期與政治的分期，並不能完全吻合無間，此處分期，也只是大略論之而已。

如果大略就梁任公先生所分的四個時期而言，則拙著兩書之中，約有十一篇論文，是屬於清代學術「啓蒙期」有關的研究：

〈黃梨洲與呂晚邨——比論黃呂二人之政治思想〉
〈黃梨洲論奄宦之禍〉
〈顧亭林對於清代學術之影響〉
〈王船山「老莊申韓論」發微〉
〈船山史論中之民族思想〉
〈呂晚邨「四書講義」闡微〉
〈「呂留良四書講義」與「駁呂留良四書講義」〉
〈唐甄「潛書」中之政理〉

〈朱一新論顏學之基本缺失〉

〈清初諸儒論「管仲不死子糾」申義〉

〈邵念魯「學校論」析義〉

在上述十一篇論文中，以論文中的主要人物而論，年齡最長的黃梨洲，生於明萬曆三十八年，卒於清康熙三十四年（當西元1610—1695年），而年齡最輕的邵念魯，生於清順治五年，卒於康熙五十年（當西元1648—1711年），大約皆在所謂的「啓蒙期」時代之內。其次，拙著兩書內另有六篇論文，是屬於清代學術「全盛期」有關的研究：

〈章太炎「釋戴篇」申論〉

〈章實齋「六經皆史説」闡義〉

〈章學誠與邵晉涵之交誼及論學〉

〈高郵王氏父子校釋古籍之方法與成就〉

〈段玉裁與王念孫之交誼及論學〉

〈許宗彥論清代漢學流弊〉

在上述的六篇論文中，以論文中的主要人物而論，年齡最長的戴震，生於雍正三年，卒於乾隆四十二年（當西元1724—1777年），而年齡最輕的許宗彥，生於乾隆三十三年，卒於嘉慶二十三年（當西元1768—1818年），大約皆在所謂的「全盛期」時代之內。再次，拙著兩書內另有九篇論文，是屬於清代學術「蛻分期」有關的研究：

〈方東樹「漢學商兑」書后——試論「訓詁明而義理明」之問題〉

〈方東樹「辨道論」探析〉

〈劉逢祿「論語述何」析評〉

〈經生與烈士——試論陳蘭甫與朱鼎甫之爲學路向〉

〈陳澧治經方向與顧亭林之關係——兼論顧氏「經學即理學」之意義〉

〈陳蘭甫「漢儒通義」述評〉

〈陳蘭甫「東塾雜組」書后〉

〈曾國藩「聖哲畫像記」析論〉

〈朱一新之誡子書〉

上述的九篇論文，以論文中的主要人物而論，年齡最長的方東樹，生於乾隆三十七年，卒於咸豐元年（當西元1772—1851年），年齡最輕的朱一新，生於道光二十六年，卒於光緒二十年（當西元1846—1894年），大約皆在所謂的「蛻分期」之內。復次，拙著兩書內另有五篇論文，是屬於清代學術「衰落期」有關的研究：

〈俞樾「群經平議」中之解經方法〉

〈皮錫瑞「南學會講義」探析〉

〈康有爲「長興學記」與葉德輝「長興學記駁議」〉

〈康有爲「論語注」中之進化思想〉

〈劉師培「攘書」探究〉

上述五篇論文，以論文中的主要人物而論，年齡最長的俞樾，生於道光元年，卒於光緒三十二年（當西元1821—1907年），年齡最輕的劉師培，生於光緒十年，卒於民國八年（當西元1884—1919年），大約皆在所謂的「衰落期」之內。另外，《清代學術史研究續編》還有兩篇附錄：

〈林景伊先生對於清代學術思想之闡述與評論〉
〈清人讀書札記中之學術資料及其整理之途徑〉

以上兩篇論文，在時代上，兼及清代各個時期，故也無法歸屬於那個時代之內。

2.就地理區域分析

梁任公先生有〈近代學風之地理的分布〉一文，從地理區域上去觀察探究近代（實際上即指清代）學者的分布現象，學風的異同關係。在該篇的序文中，任公先生指出：「本篇專以研究學者產地為主，於各家學術內容不能多論列。」又說：「本篇以行政區域分節。」又說：「今以十八行省附以奉天及在京之滿洲蒙古人為二十節，吉林黑龍江新疆無可記者，只得闕焉。」

任公先生在該篇的序文中又說：「氣候山川之特徵，影響於住民之性質，性質累代之蓄積發揮，衍為遺傳，此特徵又影響於對外交通及其他一切物質上生活，物質上生活，還直接間接影響於習慣及思想。」

今就拙著二書的三十三篇論文，模倣任公先生該文的作法，以每篇論文中主要人物的省籍為依據，試作分析，以便觀察探究拙著論文中主要人物所隸屬的地理分布，進而了解其學風的異同關係。

①浙江省——黃梨洲（餘姚）、呂留良（崇德）、邵念魯（餘姚）、
章學誠（會稽）、邵晉涵（餘姚）、許宗彥（德清）、
朱一新（義烏）、俞　樾（德清）、章太炎（餘杭），

共九人。

②江蘇省——顧亭林(崑山)、段玉裁(金壇)、王念孫(高郵)、王引之(高郵)、劉逢祿(武進)、劉師培(儀徵),共六人。

③湖南省——王船山(衡陽)、曾國藩(湘鄉)、皮錫瑞(善化),共三人。

④廣東省——陳　澧(番禺)、康有爲(南海)、梁啓超(新會),共三人。

⑤安徽省——戴　震(休寧)、方東樹(桐城),共二人。

⑥四川省——唐　甄(達縣),一人。

⑦河北省(直隸)——顏　元(博野),一人。

以上一共二十五位學者,分別隸屬於七個省分,梁任公先生在〈近代學風之地理的分布〉一文之中,曾經提出應該注意研究之十項問題,其中前四項是:

①何故一代學術幾爲江、浙、皖三省所獨占。

②何故考證學盛於江南,理學盛於河北。

③何故直隸、河南、陝西清初學者極多,中葉以後則闕如。

④何故湖南、廣東清初學者極少,中葉以後乃大盛。

梁任公先生所撰該文,是以清代全國的學者省籍,作爲分析的對象,而個人在拙著二書之中,則舉出了一共二十五位主要的學者,很湊巧的,從地理省籍的角度去分析這二十五位學者,則所得的結果,與梁任公先生在上述所提出的應該注意的四項事情,也大體符合,那就是:

①浙江、江蘇、安徽的學者較多。

②考證學盛於江南，戴震、段玉裁、王念孫、王引之、陳澧，皆江南人。

③直隸、河南、陝西，清初學者極多，顏元可爲代表。

④湖南、廣東，清初學者極少，中葉以後乃大盛，則王船山、曾國藩、皮錫瑞、陳澧、康有爲、梁啓超可爲代表。

要之，從地理省籍上分析，則拙著二書中研究的主要學者，其重點分配，亦與梁任公先生分析清代全國地理學風之結果，大略相符。

3.就學術內容分析

在清代學術史上，學者們所探討的問題，有其本身的特色，與以往各個時代，並不相同。在拙著二書中，三十三篇論文，如果就學術本身的內容而言，可以分爲以下幾個主題：

⑴經世思想

晚明清初的學者們，感受到宗社覆亡的痛苦，因而提出了經邦濟世的宏規，希望能夠挽救文化的沈淪，下列七篇拙稿是這一主題之內的作品：

〈黃梨洲與呂晚邨——比論黃呂二人之政治思想〉

〈黃梨洲論奄宦之禍〉

〈顧亭林對於清代學術之影響〉

〈王船山「老莊申韓論」發微〉

〈呂晚邨「四書講義」闡微〉

〈唐甄「潛書」中之政理〉

〈邵念魯「學校論」析義〉

⑵夷夏之辨

晚明的學者們，心繫故國淪亡，感受到清廷入關以後的殘酷，因而在著述之中，隱約宛轉地表現出夷夏之辨種族之異的精神，冀圖喚醒民眾，復興故國，下列幾篇拙稿，大略皆屬討論此一主題之作品：

〈船山史論中之民族思想〉
〈「呂留良四書講義」與「駁呂留良四書講義」〉
〈清初諸儒論「管仲不死子糾」申義〉

⑶樸學考據

清代乾隆嘉慶時期，樸學鼎盛，一時學者輩出，蔚爲清代學術之主流，下列幾篇拙稿，皆屬討論此一主題之作品：

〈高郵王氏父子校釋古籍之方法與成就〉
〈段玉裁與王念孫之交誼及論學〉
〈俞樾「群經平議」中之解經方法〉

⑷六經皆史

章學誠提出的「六經皆史」之說，雖然是針對乾嘉時代經學的流弊而發，但是，「六經皆史」之說，對於中國學術史的發展，也有他自己的一套觀點，所以在此別立一類主題：

〈章實齋「六經皆史說」闡義〉

⑸漢宋之爭

清代乾隆嘉慶時期，樸學鼎盛，對於宋明儒學，自然多所批評，而持宋學之論者，針對漢學流弊，遂亦有反駁之意見，由是而漢宋之爭，於焉形成，下列幾篇拙稿，皆屬討論此一主題之作品：

〈章太炎「釋戴篇」申論〉

〈許宗彥論清代漢學流弊〉

〈方東樹「漢學商兌」書后——試論「訓詁明而義理明」之問題〉

〈方東樹「辨道論」探析〉

⑹調和漢宋

清代道光同治以後，學者以為漢宋學術，可以兼容並蓄，會通調和，下列數篇拙稿，大略屬於討論該一主題之作品：

〈經生與烈士——試論陳蘭甫與朱鼎甫之為學路向〉

〈陳澧治經方向與顧亭林之關係——兼論顧氏「經學即理學」之意義〉

〈陳蘭甫「漢儒通義」述評〉

〈陳蘭甫「東塾雜俎」書后〉

〈曾國藩「聖哲畫像記」析論〉

⑺變法圖存

清代咸豐同治以下，外侮漸至，學者們目擊道存，變法圖強之義，逐漸深入人心，衍為學說，以救危亡，下列幾篇拙稿，大略皆屬討論此一主題之作品：

〈劉逢祿「論語述何」析評〉

〈皮錫瑞「南學會講義」探析〉

〈康有為「長興學記」與葉德輝「長興學記駁議」〉

〈康有為「論語注」中之進化思想〉

⑻革命排滿

清代末葉，民怨沸騰，革命排滿之論，如章太炎之〈訄書》、鄒容之《革命軍》、陳天華之《警世鐘》、〈猛回頭》等，一時蜂午並起，唯劉師培的《攘書》，在當時雖廣為流傳，而後世則淹沒無聞，故個人特別為之表出，而撰有下列論文一篇：

〈劉師培「攘書」探究〉

以上八項主題，大體而言，皆可算是清代學術史上之重要問題，而在兩冊拙著之中，於此八項主題，大略皆有涉及。

三、省　思

1.漢學層面擴大

拙著《清代學術史研究》以及《續編》出版之後，個人一方面覺得還有一些有關清代學術的問題，想要繼續作些研究，撰寫文稿，另一方面，也經常想到，希望對於個人出版的兩冊拙著，作一深沈的檢討，然後再重新思考規畫一些新穎的研究方向。

唐鑑的《清學案小識》，敘述了陸稼書、顧亭林以下等二百五十五位學者的生平與學術，江藩的《漢學師承記》，收錄了閻若璩、胡渭以下四十位主要的學者，並附列了其他次要的學者十六人，徐世昌主纂的《清儒學案》，列入正案的學者一百七十九人，列入附案的學者九百二十二人，列入諸儒學案的學者六十八人，一共一千一百六十九人。

近代學者們的有關著述，像梁任公的《中國近三百年學術史》，列入主要的學者十六人，次要的學者九人，一共二十五人。錢賓四先生的《中國近三百年學術史》，列入主要的學者十七人，次要的學者三十四人，一共五十一人。侯外廬先生的《近代中國思想學說史》，列入主要的學者十八人。張舜徽先生的《清人文集別錄》一共敘述了六百位學者文集的內容，張舜徽先生的《清儒學記》，列入了四十六位主要的學者，附列入十七位次要的學者。

在以上所提到的著述中，以唐鑑的《清學案小識》、徐世昌的《清儒學案》、張舜徽的《清人文集別錄》所敘述到的清代學者，人數最多，而梁任公、錢賓四、侯外廬、張舜徽四位先生在他們的學術史或學記之中，所敘述的清代學者，自然最爲重要。因此，個人在拙著二書之中，所提到的清代學者二十五人，相對之下，份量自然較輕。因此，像閻若璩、胡渭、惠棟、焦循、阮元、汪中、趙翼、錢大昕、莊存與、宋翔鳳、龔自珍、孫詒讓等等，都是極爲重要的學者，個人的研究，卻都不曾涉及，不過，這些學者們，也都是個人亟盼加以研究的對象，因此，對於清代學術史的研討，在廣度上，個人覺得仍應多加開拓。

2.宋學重點加詳

清人江藩於撰著《漢學師承記》之後，又撰著了《宋學淵源記》一書，他在《經解入門》中曾說：「何謂漢學，許鄭諸儒之學也。何謂宋學，程朱諸儒之學也。」因此，江藩撰此二書，考其緣由，也是以爲清代學術，除了漢學興盛之外，宋學發展，仍然是一脈傳承，並未中絕。

江藩在《宋學淵源記》中，列入孫奇逢、刁包、李中孚、李因篤、孫若群、張沐、竇克勤、劉原渌、姜國霖、孫景烈、劉汋、韓孔當、邵曾可、張履祥、朱用純、沈昀、謝文游、應撝謙、吳愼、施璜、張夏、彭瓏、高愈、顧培、錢民、勞史、朱澤澐、向璿、黃商衡、任德成、鄧元昌等三十一人，又附記沈國模、史孝盛、王朝式、薛香聞、羅有高、江愛廬、彭尺木、程在仁等八人，一共三十一人。

其實，前述唐鑑、徐世昌、梁任公、錢賓四、張舜徽諸家著述之中，大體皆已漢宋不分，所錄清代漢學學者固多，所記清代理學學者，亦不在少，且所記漢宋兼採，會通漢宋之學者，同樣不在少數。

拙著二書之中，所論及者，仍以漢學名家稍多，至如孫奇逢、李二曲、陸世儀、陸隴其、張履祥、江永、朱次琦、羅澤南等等，皆屬湛深性理，學有心得之人，皆可作爲個人極深研幾之對象，進而加詳個人對於清代理學之探究了解。

3.宏觀探索問題

梁任公先生曾撰有〈中國學術思想變遷之大勢〉一文，文中論及清代學術，曾經說道：「此二百餘年間總可命爲中國之文藝復興時代。」又說：「有清二百餘年之學術，實取前此二千餘年之學術，倒捲而繅演之。」又說：「有清學者，以實事求是爲學鵠，饒有科學的精神。」稍後，胡適之先生也有類似的說法。自是以後，學者們對於清代學術的基本性格，清代學術的產生緣由，清代學術的價值定位，清代學術的利病得失等等，往往都採取宏觀的角度，去作詮解，例如在討論到清代學術形成的原因時，余英時先生有〈清代思想史的一個新解釋〉一文，他從儒家思想內在理路的自然發展，去作解釋，認爲「無論是主張心即理的陸王，或性即理的程朱」，都「一定要回到儒家經典中去找立論的根據」，「理學發展到了這一步，就無可避免地要逼出考證之學來」。又如在討論到清代學術利病得失的問題時，徐復觀先生有〈清代漢學衡論〉一文，則對清代漢學的治學方向，以及清儒排斥宋學的立場，提出了嚴格的評論。

近世以來，對於清代學術所作的檢討與反省，類似余英時先生與徐復觀先生的論述，尚有不少，這一類的研究，需要具備廣闊的視野，綜攬全局的學力，才能夠撥雲見日，直湊單微，把握問題的重心，而提出邁越前賢的卓識。

在拙著的兩冊《清代學術史研究》之中，類似這種宏觀的探索，非常缺乏，這也是個人今後期盼努力的方向之一。

四、結　語

學海遼闊無涯，個人在拙著二書中提到的三十三篇論文，只是個人在過往的研究中的一些小心得，在此提出，只是盼望能夠得到專家們的批評與指教，以便督促個人，在未來的研究中，有所進益。

另外，在拙著《中國目錄學研究》（一九八〇年四月臺北華正書局初版）一書中，收有下列幾篇論文，亦與清代學術的發展，似有關係，可供參考：

〈校讎通義「道器說」述評〉
〈論章實齋「互著」「別裁」之來源〉

在拙著《老莊研究》（一九九二年十月臺北學生書局初版）一書中，收有下列幾篇論文，亦與清代學術的發展，似有關係：

〈試析王船山所論老子思想的基本瑕疵〉
〈嚴幾道「老子評點」論析〉
〈嚴幾道「莊子評點」要義闡釋〉
〈嚴幾道對於莊子思想的批評〉

另外，拙著《韓柳文新探》（一九九一年六月臺北學生書局初版）一書中，下列兩篇論文，亦與清代學術，或有關係：

〈王船山論韓愈上「佛骨表」〉
〈比較韓愈與王船山對於張巡許遠的批評〉

也請專家學者們一併賜正。

（此文原刊載於北京大學百週年慶《漢學研究國際會議論文集》，二〇〇〇年八月出版）

錢賓四先生《學籥》讀後

讀一本好書，可以使自己受益無窮，我確實有著這樣的經驗。

民國四十六年，我考進東吳大學中文系就讀，當時，學校剛在臺北復校不久，圖書館中的藏書還很有限，加以那時坊間一般的出版物也非常稀少，拿文史方面的書籍來說，除了前四史、《昭明文選》、《說文段注》之外，幾乎找不到什麼較具份量的專門著作，可供購閱。

民國四十七年，我搬到泉州街居住，轉彎不遠處，就是坐落在南海路上的中央圖書館，館中的典藏，除了普通圖書之外，另闢有特藏室，收藏了整套的萬有文庫、叢書集成和四部叢刊等書，那時，求知的慾望，似乎特別強烈，因此，晚上時間，多數都是在中央圖書館裏度過，但是，瀏覽經眼的書籍雖然不少，生吞活剝的結果，也只是使得自己添多了一些零星片斷的知識而已，對於讀書的方法與學問的門徑，仍然還是茫無所知，難窺究竟。

有天下午，在衡陽路的一家書店之中，突然發現了一冊非常吸引我注意的書籍，當時站在那裏，很快地瀏覽了一遍，眞是愛不釋手——那是錢賓四先生剛才出版的新書《學籥》，是一冊專門講求讀書方法與學問門徑的好書。

錢先生是當代著名的國學大師，刻苦力行，自學成功，在《學籥》一書的自敘中，他提到自己在「年逾六十」以後，才將「平生微尙，所拳拳服膺，自以爲是」的見解，「舉以告人」，以爲「儻有好學之士，取而爲法」，也是「爲學入門之一途」，因而才將此書命名爲《學籥》，希望用來引導青年們去好學深思，俾能使之得一正確的途徑，去進窺浩瀚的書林和學海。

《學籥》一書，收有錢先生的論著六篇，其中〈略論孔學大體〉，是從「博文」與「約禮」那兩方面，去衡論歷代孔學的得失。〈本論語論孔學〉，是從「志道」、「據德」、「依仁」、「游藝」四個方向，去探討《論語》中孔學的眞精神。〈朱子讀書法〉，是將朱子論述讀書方法最精要的話語，加以系統地詮釋。〈朱子與校勘學〉，是表彰朱子在《韓文考異》中的校勘方法。〈近百年來諸儒論讀書〉，則敘述了陳澧、曾國藩、張之洞、康有爲、梁啓超等人有關讀書門徑的意見。〈學術與心術〉，則論述了人們爲學時在專精與博通方面應有的取向。

而在當時，印象尤其深刻的，則是〈朱子讀書法〉與〈近百年來諸儒論讀書〉兩篇，錢先生在〈朱子讀書法〉中，選取了一些朱子的語錄，分爲六節，由淺入深，加以系統的詮釋，對於指導人們如何去讀書究學，有著極爲親切而明確的指點。

在〈近百年來諸儒論讀書〉一文之中，錢先生特別表彰了陳澧所倡導的「有益於身，有用於世」的「士大夫之學」，也強調了曾國藩所主張的「經則專守一經，史則專熟一代」，「此集未讀完，斷斷不換他集」的「守約」之道。另外，錢先生對於張之洞與康有爲所提倡的讀書方法，則都有著一些批評的意見，而對於梁啓超的〈國學入門書要旨及其讀法〉，則表示了相當肯定的推崇。最重要的是，在該文之中，錢先生將近百年來五位重要學者指點讀書的意見，作出了敘述及比較之後，使得青年們能夠開拓視野，在讀書的方法上，多所體悟，知所抉擇。

由於喜歡閱讀《學篇》，慢慢地，自己也由錢先生在書中指示的方向，逐漸體會出一些讀書的方法與爲學的門徑，由於喜歡閱讀《學篇》，慢慢地，自己也逐漸接觸到錢先生其他的一些著作，像《國史大綱》、《莊老通辨》、《先秦諸子繫年》、《中國思想史》、《宋明理學概述》、《中國近三百年學術史》等等，也從而擴大了自己的眼界，增加了自己對於傳統學術的了解。多年以來，錢先生的《學篇》一書，經常伴隨身旁，帶在手邊，不時取閱溫燖一番，往往都能帶給自己不少新穎的啓發與澄澈的領悟。同時，反省回顧一下自己過去在爲學徑途上所跋涉經過的歷程，也才恍然地發現到，自己確曾從《學篇》一書，領受到很多的益處，在自己過往的學術研究中，從博士論文《潛夫論校釋》中的校勘方法，到《中國目錄學研究》中剖析學術流別的態度，到《儒行考證》中據以判斷年代的立場，到《清代學術史研究》中論述清代許多著名學者的思想內涵，自己似乎都曾受到《學篇》一書不少的影響。

錢先生學問廣博，見解精湛，他的治學，能夠顧及傳統學術的全面，而不致有偏頗的成見，這些年來，我也深深地感覺到，研究傳統的文史哲學，由錢賓四先生的《學篇》一書入門，確不失爲是一條非常穩妥的道路，因此，才將自己受益於《學篇》一書的經驗，敘述出來，提供給有志研習傳統學術的青年們參考，希望對於青年朋友們能夠有一些幫助。

（此文原刊載於《中華日報》副刊，民國七十八年二月十八日出版）

曾國藩之讀書方法

在清代咸豐同治年間，曾國藩不但是一位功業彪炳的治國名臣，也是一位治學有成的著名學者，尤其是他所倡導的新穎學風，以及所揭示的讀書方法，即使在今天，仍然具有參考的價値，以下，就略分條目，從曾國藩的家書家訓之中，鈎稽出一些他所主張的讀書方法，簡介如後：

一、專　一

曾國藩以爲，讀書究學，最基本的條件，就是「專一」，他說：「一書未完，不看他書。」又說：「窮經必專一經，不可泛騖。」在古代，經書是最重要的書籍，士子入學，必先讀經，曾國藩教人讀經，從專一入手，因爲，「專守一經」，才容易了解內容，至於經書之外，諸子百家之書，他也以爲，應當愼擇約取，專一研讀，而不當東翻西閱，分散力量，他說：「如讀昌黎集，則目之所見，耳之所聞，無非昌黎，以爲天地間除昌黎而外，更無別書，此一集未讀完，斷斷不換他集，亦專字訣也。」讀書能夠注意「專一」，自然力量集中，精神集中，研讀起來也容易深入體會，有所收獲。

二、耐　煩

曾國藩以為，讀書究學，「專一」之外，能夠「耐煩」，也是重要的條件之一，他說：「凡作一事，無論大小難易，皆宜有始有終。」又說：「讀經有一耐字訣，一句不通，不看下句，今日不通，明日再讀，今年不精，明年再讀，此所謂耐也。」又說：「無論何書，總須從頭至尾，通看一遍，不然，亂翻幾葉，摘鈔幾篇，而此書之大局精處，茫然不知也。」一般人讀書時，最容易缺乏耐心，閱讀一本書籍，遇到內容稍為艱難，不易了解，往往便半途而廢，另換他書，而不能堅持到底，曾國藩勸人讀書，極重「有恆」，他說：「學問之道無窮，而總以有恆為主。」而「耐煩」卻是「有恆」的先決條件，能夠具備「耐心」，才能養成讀書「有恆」的習慣。

三、涵　泳

曾國藩以為，讀書究學，除了記憶之外，更應當加強理解的能力，以求了解更多書中的道理，但是，理解力的培養，卻不是一蹴而幾的，曾國藩說：「凡讀書有難解者，不必遽求甚解，有一字不能記者，不必苦求強記，但須從容涵泳，今日看幾篇，明日看幾篇，久久自然有益。」他主張讀書要從容涵泳，才能增加理解的能力，所謂「涵泳」，他說：「涵泳二字，最不易知，余嘗以意測之曰，涵者如春雨之潤花，如清渠之溉稻。」又說：「泳者，如魚之游水，如人之濯足。」他以為，「善讀書者，須視書如水，而視此心如花如稻，如魚如濯足，則涵泳二字，庶可得之於意言之表。」曾國藩將「書」比之如水，而將人「心」比之如花如稻，如魚如濯足，意思是希望人們讀書究學，要將此「心」深深地沉潛在「書」海之中，而慢慢受到「書」中道理的浸灌、滋潤、涵育，而逐漸使得心與書合一，人與書合一，能如此，不但可以使得人們更加了解到書中的義趣，同時，也可以提升自己閱讀書籍時的理解能力。

四、寫 作

曾國藩以爲，讀書究學，除了多看多讀之外，書寫及作文的能力，也是不可缺少的條件，他說：「讀書之法，看讀寫作四者，每日不可缺一。」他以爲，「看生書宜求速，不多閱則太陋」，「溫舊書宜求熟，不背誦則易忘」，同時，看書讀書之外，寫字作文，也是輔助讀書的重要條件，他以爲，「習字宜有恒，不善寫則如身之無衣，山之無木」，「作文宜苦思，不善作則如人之啞不能言」，其實，不僅是在古代，即使是在今天，一個知識分子，如果能夠寫一手好字，隨時作得出一篇明暢的好文章，同樣也是一種難得的優秀條件，同時，善寫善作，也是幫助人們看書讀書更加落實的方法。

曾國藩曾經說過：「士人讀書，第一要有志，第二要有識，第三要有恆，有志則不甘爲下流，有識則知學識無盡，不敢以一得自足」，「有恆，則斷無不成之事」，雖然，曾國藩說那些話的時代，與我們當前所處的環境，已經大不相同，但是，時代儘管不同，許多道理，卻也可以彼此相通，因此，曾國藩所提到的讀書方法，相信仍然可以供給我們作爲參考的資料，所以才略加引述，簡介如上，提供給青年朋友們參考。

（此文原刊載於《臺中藝文》二期，民國七十七年六月出版）

王筠《文字蒙求》簡析

一、引　言

王筠字貫山，又號菉友，山東安邱人，生於清乾隆四十九年，卒於咸豐四年（1784－1854），享年七十一歲。王氏爲道光元年舉人，曾任山西鄉寧縣知縣，爲學博涉經史，尤長於《說文》，撰有《說文釋例》、《說文句讀》、《說文韻譜校》、《說文新附考校》等書，而《說文釋例》，體大思精，與段玉裁的《說文解字注》、朱駿聲的《說文通訓定聲》、桂馥的《說文義證》，合稱爲清代《說文》之學的四大名著。

《文字蒙求》四卷，主要爲童蒙識字而作，也是王筠對於《說文》之學融會貫通之後，出其餘力，接引初學的作品，在《文字蒙求》的〈自序〉中，王筠引陳山嵋的話說：

> 人之不識字也，病於不能分，苟能分一字爲數字，則點畫必不可以增減，且易記而難忘矣。苟於童蒙時，先令知某爲象形，某爲指事，而會意字，即合此二者以成之，形聲字，即合此三者以成之。豈非執簡御繁之法乎？

又說：

> 總四者（象形、指事、會意、形聲）而約計之，亦不過二千字而盡，當小兒四五歲時，識此二千字，非難事也，而於全部《說文》九千餘字，固已提綱挈領，一以貫之矣。余久欲勒爲一書，而夙夜在公，未之能成，然終以爲訓蒙之捷徑也。❶

陳山嵋在《文字蒙求》的〈跋〉文中也說：

> 《文字蒙求》一書，菉友同年爲余所輯錄也。菉友於《說文》之學，融會貫通，凡所折衷，悉有依據，著有《說文釋例》二十卷，將以問世，余以其書非初學所能讀也，已使條分縷析，彙爲此書，雖云緒餘，而已沾匄無窮矣。亟梓之以公同好，將見讀《說文》者，亦將以此導其先路，豈僅足以給童蒙之求哉！

因此，《文字蒙求》一書，不但是王筠會通《說文》之學以後的成熟產品，也可以說是進而研讀《說文》之學的階梯，也更可以作爲研習漢字者的入門讀物。

二、簡　析

《文字蒙求》一書，對於研習漢字者而言，約有以下幾個優點：

---

❶ 《文字蒙求》，據王筠家刻本。

1.分類清晰

《文字蒙求》一書，共分象形、指事、會意、形聲四類，每類之中，又加以區分子目，例如「象形」之中，又區分爲：

①天地類之純形　　如「日」、「月」、「山」、「水」等。

②人類之純形　　如「人」、「心」、「口」、「牙」等。

③動物之純形　　如「鳥」、「隹」、「牛」、「馬」等。

④植物之純形　　如「禾」、「米」、「竹」、「木」等。

⑤衣服器械屋宇之純形　　如「巾」、「舟」、「車」、「戶」等。

……………………

如「指事」之中，又區分爲：

①純體指事　　如「上」、「中」、「厶」、「出」等。

②以會意定指事　　如「叉」、「只」、「欠」、「甘」等。

……………………

如「會意」之中，又區分爲：

①順遞爲意者　　如「祭」、「苗」、「吉」、「古」等。

②並峙爲意者　　如「祝」、「討」、「彤」、「析」等。

③即字之部位見意者　　如「班」、「莫」、「小」、「內」等。

④疊二成字者　　如「玨」、「皕」、「䀠」、「賏」等。

⑤疊三成字者　　如「品」、「晶」、「焱」、「猋」等。

⑥疊四成字者　　如「茻」、「㗊」、「㠭」等。

……………………

如「形聲」之中，又區分爲：

①楷又變篆者　　如「荅」、「萑」、「荔」等。

②爲它字之統率者　　如「丕」、「瑞」、「壯」等。

③聲意膠葛及聲不諧者　　如「農」、「鳳」、「韋」等。

④從省聲者　　如「珊」、「茲」、「哭」等。

……………………

《文字蒙求》在每個大類之下的小分類，雖然並不十分精確，但大體上，也還明晰，對於研習漢字的人們而言，比起閱讀一般以「部首」爲分類的字書來，也許更加容易引起他們學習的興趣。

2.形體明確

《文字蒙求》一書，對於收錄的文字，除了以楷體著錄，以示清晰之外，也像《說文》一樣，著錄「小篆」，以追溯字形的根源，王筠在《文字蒙求》卷一釋「象形」時曾說：

> 鐘鼎象形字，皆畫成其物，隨體詰屈，李斯變爲小篆，欲其大小齊同，不能無所伸縮，遂有不象者矣，茲兼采古文，以便初學。

又在《文字蒙求》之〈自序〉中說：

> 篆文閒依鐘鼎，以《說文》傳寫有譌也。

《文字蒙求》在「小篆」之外，兼采鐘鼎古文，只可惜王筠身當清代中葉，甲骨文字尚未出土，未能兼取甲骨文字之例，上溯文字本源，否則，王氏之書，當更爲精審。以下姑舉數例，以見王氏之書，兼采鐘鼎，字形更近古初，而不全依《說文》以釋形體：

目，《說文》小篆作，古文作。《文字蒙求》作諸形，與甲文（鐵一六、一）（前四、三二、六）相近。

耳，《說文》小篆作，《文字蒙求》作，與甲文（存一、七三）（鐵一三八、二）金文（耳卣）相近。

馬，《說文》小篆作，《文字蒙求》作，與甲文（前四、四六、二）金文（克鐘）相近。

米，《說文》小篆作，《文字蒙求》作，與甲文（甲、八七〇）相近。

雷，《說文》小篆作，《文字蒙求》作，與甲文（粹一五七〇）（乙五二九）相近。

皿，《說文》小篆作，《文字蒙求》作，與甲文（甲二四七三）（前五、三七）相近。

絲，《說文》小篆作，《文字蒙求》作，與金文（絲浮鼎）相近。

申，《說文》小篆作，《文字蒙求》作，與甲文（鐵一六三、四）（乙、六六六）相近。

目前坊間一般有關漢字入門的讀物，很少有加附篆文及金文甲文形體者，更少有對於字形結構作出分析，因此，《文字蒙求》在幫助研習漢字者了解字形的結構方面，必有相當的助益。[2]

---

[2] 以上甲文金文資料，皆取材於容庚《金文編》與孫海波《甲骨文編》。

3.說解簡要

《文字蒙求》對於字形的解說，基本上雖然根據《說文》，但卻並不完全依據《說文》，而都以簡明扼要爲主，例如：

日，[篆文]，日中有黑影，初無定在，即所謂三足烏者也。

按《說文》的解釋是：「日，實也，太陽之精不虧。」

月，[篆文]，月圓時少，闕時多，且讓日，故作上下弦時形也，中一筆，本是地影，詞藻家謂顧兔桂樹也。

按《說文》的解釋是：「月，闕也，太陰之精。」

雨，[篆文]，一象天，丨則地氣上騰也，冂則天氣下降也，陰陽和而後雨，點則雨形。

按《說文》的解釋是：「雨，水從雲下也，一象天，冂象雲，水霝其間也。」

豆，[篆文]，上象腹中有實，下則校與足也，小篆在腹上。

按《說文》的解釋是：「豆，古食肉器也，从口，象形。」

祭，[篆文]，又，手也，示，古祇字，手持肉以享神祇也。

按《說文》的解釋是：「祭，祭祀也，从示，以手持肉。」

小，[篆文]，丨之爲形已小，又從而八之，愈小矣，八者分也，在丨之左右以見意。

按《說文》的解釋是：「物之微也，从八丨見而八分之。」

芻，[篆文]，即刈之艸，包束之，艸分爲兩，而各包之，便於擔荷也，勹同包。

按《說文》的解釋是：「芻，刈艸也，象包束艸之形。」

秃，，《說文》兩說皆未妥，《玉篇》有籀文，作秃，當是正字，从毛者，頭上之毛，曰髮曰鬌曰鬢，尊人，故詳之，不似物毛概曰毛也，秃者之髮，但離離如毛而已，故从毛在人上，篆體略似，是以譌也。

按《說文》的解釋是：「秃，無髮也，从儿，上象禾粟之形，取其聲，王育說，倉頡出見秃人，伏禾中，因此制字，未知其審。」

《文字蒙求》的字形說解，並不全據《說文》，有些地方，也比《說文》所解釋的更爲近眞近是，這種情形，參酌鐘鼎甲文，便可以得知。

4.選字適當

《說文解字》共收九千三百五十三字，但是其中許多文字，在今天都已不常使用，《康熙字典》共收四萬九千零三十字，《大漢和辭典》共收四萬八千九百零二字，《中文大辭典》共收四萬九千九百零五字，其中不常用的文字，數量更多。

民國五十六年，中華書局出版《教育部國民學校常用字彙研究》，共釐訂常用字四千八百六十四字。民國六十七年，正中書局出版《常用國字標準字體表》，共釐訂常用字四千八百零八字。

常用字的數量，不到漢字總數的十分之一，是可以斷言的，以前，還有人作過研究，只要認識兩千一百三十四個單字，便可以毫無困難地閱讀《三民主義》了。❸

---

❸ 見艾偉所著《漢字問題》頁四十五。

《文字蒙求》中的兩千個文字，比常用字的數量，少了一半，而兩千個文字之中，是否都是今天通行的「常用字」，也有問題，但是，《文字蒙求》是爲童蒙識字而作，所選的文字，自然以兒童日用之間最需要認識的文字爲主，當是可以理解的事實，因此，《文字蒙求》的文字，泰半屬於「常用字」的範圍，這種推測，也許並不太過離譜。

三、結　語

《文字蒙求》一書，僅收錄象形、指事、會意、形聲四類文字，至於轉注、假借二類，因非童蒙識字所急需，故不加收錄。

王筠所撰《說文釋例》一書，對於《說文》義例，分析至爲詳密，因此，在《文字蒙求》之中，對於象形、指事、會意、形聲的定義，王筠也有精當的說明，對於研習漢字者而言，也可以由是而確切地掌握此四者的意義。

從事《說文》之學的研究，可以《文字蒙求》作爲先導，對於研習漢字者而言，《文字蒙求》也可以作爲開啓漢字門戶的一把鑰匙，因此，筆者在此，簡略地分析這本可供參考的字書。

（此文原刊載於《第五屆中韓學者會議論文集》，民國七十二年八月出版）

古漢語中單音詞與複音詞之關係

一、引　言

漢字是單音節的孤立文字，但是，漢語卻並不完全是單音節的孤立語言，在漢語中，一個文字一個音節，雖然往往便是一個詞彙，但是，一個詞彙，有時卻需要由兩個以上的文字和音節所組成，因此，漢語詞彙之中，便出現了單音詞和複音詞的現象，而且，這種現象，早在先秦時代，發展即已相當成熟，例子也已相當普遍；本文撰寫的目的，即在根據先秦文獻，以探索古代漢語詞彙中單音詞與複音詞的關係。

齊佩瑢在他所著的《訓詁學概論》❶一書中，將漢語詞彙分爲單音詞、雙音詞和多音詞三種，而雙音詞又區分爲連綿詞與複合詞。本文中所討論的複音詞，實際上是指齊氏所說的雙音詞，其中包括連綿詞（本文改寫爲聯綿詞）與複合詞兩類。

---

❶ 齊氏之書，民國三十年左右出版於北平，此據臺灣廣文書局於民國五十一年翻印本。

二、單音詞之作用

一詞多義，是漢語中單音詞的特徵，同樣一個形體，同樣一個詞彙，卻代表著不止一種意義，這種多義現象，其他語言中雖也具有，卻以漢語中單音詞彙最爲顯著。

單音詞多義的現象，多數是由詞義的引申所造成，每一個單音詞，除了它唯一的本義之外，由於引申的作用，往往可以使得它的詞義，由一義而發展爲數義，甚至是數十義，不過，這許多意義，相互之間，往往是有著聯系的，而且，往往是或遠或近，層次分明，有條不紊地圍繞住一個中心意義。此外，單音詞多義的現象，由於假借和通假而產生的例子，也不在少數。

單音詞多義的現象，在辨認詞義方面，確實爲人們帶來了許多的困擾，使人們難於確切地掌握詞彙的意義，但是，從另外一個角度來看，單音詞的多義現象，表現在哲理性或文學性的作品中，卻也產生了一些意想不到的作用。

例如《易經·乾卦》的卦辭「元亨利貞」，歷來便有許多不同的解釋❷，最顯著的是，〈文言傳〉說：「元者善之長也，亨者嘉之會也，利者義之和也，貞者事之幹也。君子體仁，足以長人，嘉會，足以合禮，利物，足以和義，貞固，足以幹事，君子行此四德，故曰元亨利貞。」這是就儒家的道德觀念而言，朱子《周易本義》

❷ 蒙傳銘先生有〈周易元亨利貞析論〉一文，刊載於《中國學術年刊》第二期，該文分析古今學者對於「元亨利貞」的解釋，至少有十四種明顯不同的意義。

說：「元、大也，亨、通也，利、宜也，貞、正而固也。文王以爲乾道大通而至正，故於筮得此卦而六爻皆不變者，言其占當得大通，而必利在正固，然後可以保其終也，此聖人所以作易教人卜筮，而可以開物成務之精意。」則是專就「占卜」而說。同樣的「元亨利貞」四個單音詞，由於詞義解釋的岐異，因而形成了兩種截然不同的系統，實際上，也代表了原始易學與儒門易學的不同理論，兩種理論，也當各自有其值得探索的價值。

又如《論語·爲政篇》中孔子所說的：「學而不思則罔，思而不學則殆」兩句，「殆」字的意義，至少便有顯著不同的三種解釋，何晏《集解》引包氏曰：「學不尋思其義，則罔然無所得，不學而思，終卒不得，徒使人精神疲殆。」訓殆爲疲，是第一種意義，朱子《集注》說：「不求諸心，故昏而無得，不習其事，故危而不安。」訓殆爲危，是第二種意義，王引之《經義述聞》說：「思而不學，則事無徵驗，疑而不能定也。」訓殆爲疑，是第三種意義。思而不學，到底會產生疲倦，還是會產生危險或懷疑？其實，除了詞面的訓釋，古義的探索之外，人們在學習與思考的過程中，親身體會的經驗，也可作爲適當的印證資料，因此，「殆」字詞面上的三種意義，對於讀者而言，便也提供了不同角度與不同層次的引導路徑，作爲參考。

另外，拿文學作品來說，像《詩經·召南》中〈摽有梅〉這首詩：

> 摽有梅，其實七兮，求我庶士，迨其吉兮；
> 摽有梅，其實三兮，求我庶士，迨其今兮，

摽有梅，頃筐塈之，求我庶士，迨其謂之。

這首詩，〈小序〉說是「男女及時也」，對於「梅」字，陳奐說：「梅媒聲同，故詩人見梅以起興。」（《詩毛氏傳疏》）竹添光鴻也說：「梅媒聲同，故詩人見梅以起喻，是以梅落喻容色之將萎。」（《毛詩會箋》）由梅到媒，從聲音上，先引起人們的聯想。對於「摽」字，毛傳訓「落」，嚴粲訓「擊」，他說：「摽木訓擊，邶柏舟寤辟有摽是也，此詩謂擊而落之。」（《詩緝》）聞一多在〈詩經新義〉之中，以爲「摽即古拋字」，他的證據是，《玉篇》：「摽，擲也。」《說文新附》：「拋，棄也。」重文作「摽」，聞氏以爲，《詩·衛風·木瓜》篇中的「投我以木瓜，報之以瓊琚，匪報也，永以爲好也」這幾句詩，「當是女之求士者，相投之以木瓜，示願以身相許之意，士亦嘉納其情，因報之以瓊琚以定情」，「而〈摽有梅〉篇，亦女求士之詩，而摽與投字既同誼，梅與木瓜木桃木李，又皆果屬，則摽梅亦女以梅摽男，而以梅相摽，亦正所以求之之法耳。」「意者，古俗於夏季果熟之時，會人民於村中，士女分曹而聚，女以果實投其所悅之士，中焉者或以佩玉相報，即相約爲夫婦焉。」他並以《晉書·潘岳傳》中所記的「岳美姿儀」、「少時常挾彈出洛陽道，婦人遇之者，皆連手縈繞，投之以果，遂滿載以歸」的例子，作爲那種流風餘韻遺存後世的證明。

聞氏對於此詩的解釋，正確與否，姑置不論，但是，由於「摽」字意義訓釋的岐異，提供了不同的方向和內涵，導引人們去探索，從而有了不同的解說和意境，則是單音詞多義現象所產生的一些作用。

又如《詩經・邶風》中〈二子乘舟〉這首詩：

二子乘舟，汎汎其景，願言思子，中心養養；

二子乘舟，汎汎其逝，願言思子，不瑕有害。

這是一首頗具悲劇意味的詩篇，〈小序〉說是：「思伋壽也，衛宣公之二子，爭相爲死，國人傷而思之，作是詩也。」〈毛傳〉說：「宣公爲伋取於齊女而美，公奪之，生壽及朔，朔與其母愬伋於公，公令伋之齊，使賊先待於隘而殺之，壽知之，以告伋，使去之，伋曰，君命也，不可以逃，壽竊其節而先往，賊殺之，後伋至，曰，君命殺我也，壽有何罪，賊又殺之，國人傷其涉危遂往，如乘舟而無所薄，汎汎然，迅疾而不礙也。」

這首詩中的「景」字，王引之訓之爲「憬」，以爲是遠行貌，（見《經義述聞》）馬瑞辰說：「景，古音讀爲廣，謂遠行貌，與下章汎汎然同義。」（見《毛詩傳箋通釋》）陸德明說：「景，如字，或音影。」（見《經典釋文》）因此，「景」字便有了兩種不同的意義。

孔穎達《毛詩正義》說：「觀之汎汎然，見其影之去，往而不礙。」嚴粲《詩輯》也說：「其影汎汎然何所歸乎。」這都是根據「景」與「影」相同而作出的解釋，糜文開裴普賢二位先生合著的《詩經欣賞與研究》，便把這句詩譯爲「水裏漂盪著他們的倒影」，卻也十分傳神，竹添光鴻《毛詩會箋》便說：「汎汎其景，是描寫渡河之時，二子之影，與水波俱浮沈，以見顧影可憐之意，而此舟一逝，其影即不可復見矣，痛其往而不返也。」至於「汎汎其景」的下句「中心養養」，朱子《詩集傳》說：「養養，猶漾漾，不知所定之貌。」《毛詩會箋》也說：「養是漾之假借，漾漾，水搖動貌，言憂心搖搖不定也，正與汎汎相應。」

竹添光鴻又說：「伋壽之死，盜待於莘殺之，則二子死於陸地，詩何以言乘舟，蓋二子之死甚閟，未嘗明示國人，作詩者亦未嘗親見其殞命之所，自衛適齊，必渡河，此衛人所共知者，因以乘舟渡河為辭，二子乘舟猶曰二子適齊耳。」又說：「考《左傳》二子不必同乘舟，故毛以為借喻語，然詩之辭不必拘。」詩中的事實，暫不作深考，但如就詩論詩，則釋「景」為「倒影」，將「汎汎其景」釋為「二子之影，與水波俱浮沈，以見顧影自憐之意」，似乎也比釋「景」為遠行貌，情境都益為優美，誦之也詩意盎然。反之，如果「景，古音讀為廣，謂遠行貌，與下章汎汎然同義」，那麼，這樣的詩篇也未免太過刻板，沒有什麼「言外之意」值得去探索了。因此，單音詞「景」，由於具備了多義的特徵，所提供的不同意義，在詩篇之中，也就越發引人入勝了。

《文心雕龍·隱秀篇》說：「隱以複意為工。」又說：「隱之為體，義生文外，深文隱蔚，餘味曲包。」單音詞多義現象，確實是比較適合去表現詩篇中那種「深文隱蔚，餘味曲包」和「複意為工」的特性。雖然，在漢語中，多義的現象，複音詞同樣也能具備，但是，複音詞的意義畢竟比較穩定，單音詞的意義則較多變化，因此，複音詞在文學作品中所產生的多義，多數是偏重在文法上，譬喻上及聯想上的，純粹就一字一詞而產生「複意」的模稜，仍然要以單音詞來得靈活自然。

劉若愚先生在他的《中國詩學》❸中討論到「漢字與單詞的含意和聯想」時，曾經說道：「正像英文一樣，而且更甚，中文的一

---

❸ 此據杜國清氏的中譯本，民國六十六年，幼獅文化事業公司初版。

個詞，並不總是具有明確固定的一個意思，而是經常包含有不同的意味，其中有些可能是不容並立的。」又說：「這在說明性的散文中也許是個重大的缺點，然而在詩中卻可能成爲優點，因爲它使思想感情能夠以最經濟的詞句表現出來。」因此，他以爲，「在這點，中文是更適於寫詩的語言。」

當代的學者們，像劉若愚、高友工、梅祖麟、黃維樑等，對於詩歌中多義的現象，已經有了很多的研究和成果，如果對於單音詞方面，多作研究，相信將會得到更多的收穫。

總之，單音詞在漢語詞彙中，雖然有著難於辨認的缺點，但是，也同時有其積極方面的作用存在。

三、複音詞的出現

單音詞在辨認詞義方面的困擾，人們曾經嘗試利用「四聲別義」的方式去加以區分，但是，一直到單音詞逐漸走上了複音詞的途徑，這種困擾，才算澈底地解決。

甲、聯緜詞的產生

複音詞可分爲聯緜詞與複合詞，聯緜詞也稱聯緜字，王了一在《中國語法理論》中說：

> 中國有所謂聯緜字，就是聲音相同或相近的兩個字，疊起來成爲一個詞。

周法高先生在〈聯緜字通說〉❹中說：

> 所謂聯緜字，具有下列一些特點，(1)聯緜字的構成分子，大體在語音上有相同之處，如雙聲、疊韻、疊字等。(2)聯緜字因爲所重在聲，所以在字形上往往不很固定。(3)聯緜字大部分爲狀詞，又有一些爲名詞、歎詞等。(4)聯緜字中有不少爲雙音語，即一個語位包含二個音節者。

聯緜詞大致可分爲三種，像「關關」、「呦呦」、「淒淒」，是疊字的聯緜詞，像「丁當」、「淋漓」、「邂逅」，是雙聲的聯緜詞，像「扶蘇」、「蒙茸」、「龍鍾」，是疊韻的聯緜詞。至於聯緜詞產生的情形，一般而言，約有以下幾種。

(1)由於餘音添注

章太炎《新方言·釋器》：「說文，𠥓，古器也，呼骨切，今人謂古器爲「骨董」，相承已久，其實骨即𠥓字，董乃餘音，凡術物等部字多以東部字爲餘音，如窟言窟籠，其例也。」又說：「說文，空，竅也，堀，免堀也，引申凡空竅曰堀，字亦作窟，今人謂地有空竅爲窟籠，籠者收聲也，或曰，窟籠合音爲空。」章氏以爲聯緜字的產生，是由於一字的餘音，增加語尾而複爲二字。

陸穎明〈讀說文雜記〉說：「說文中二字名詞，唯一字音爲本字者甚多，唐逮、及也，逮爲本字，唐則其餘音也，悉蟹，唯蟹爲本字，悉則其餘音也。」沈兼士在〈國語問題之歷史的研究〉一文

---

❹ 收入《中國語文論叢》一書，民國五十二年，正中書局初版。

中說：「原來言語中的單音詞，其後漸因便利起見，多半變為疊韻或雙聲的複音詞了（其中有另外加添語尾的），但是後來附加上的音，只是借一個同音字來表示他，卻沒有另外造字，比方處所的所，果敢的果，悉蟹的悉之類，只借了異義同音的「所」「果」「悉」來比擬他的聲音就是了。」用餘音添注去解釋一部分聯綿詞產生的原因，像唐逮之「唐」，權輿之「輿」，沃若之「若」，也許是可以被承認的，但是，有些情形，像《說文》中的「謰謱」、「廔廲」等，便很難判斷那是本字，那是添注的餘音了。

⑵由於聲音緩急

語言有緩急不同，何休在注《公羊傳》時，已有長言短言的區別，所謂長言，是指一字緩讀，由聲韻延展為兩字，所謂短言，是指兩字急讀，由二字縮合為一字，孫德宣〈聯緜字淺說〉❺云：「如壽夢為乘，不可為叵，不要為別，奈何為那，左宣二年傳：『棄甲則那。』注：『猶何也。』按奈何合音為那。胡同為巷，巷，古音呼貢反。左定四年傳申包胥，國策作棼冒勃蘇，鶡冠子作麃胥，按棼冒合音為包，勃蘇合音為胥。」張壽林〈三百篇聯緜字研究〉❻說：「蓋字本單音，慢言之則為二語，浸假而另造新字，遂成連語。」張氏舉出的例子如茲繾綣為嬛之慢言，〈大雅·民勞篇〉云：「以謹繾綣。」嘉定錢氏（繹）《方言箋疏》云：「繾綣，疊韻雙聲字，急言之則為嬛。」匍匐為鞠之慢言，〈邶風·谷風〉云：「匍匐救

❺ 載《輔仁學誌》十一卷一、二期合刊。

❻ 載《燕京學報》十三期。

之。」〈傳〉云：「匍匐言盡力也。」匍匐之合聲爲鞠，東方朔〈七諫〉云：「塊兮鞠，當道宿。」王逸〈注〉云：「匍匐爲鞠是也。」芄蘭爲雚之慢言，〈衛風·芄蘭〉云：「芄蘭之支。」〈傳〉云：「芄蘭，草也。」《說文》云：「雚，芄蘭也。」王氏《說文句讀》云：「急言之曰雚，曼言之曰芄蘭。」仳離爲別之代語，〈王風·中谷有蓷〉云：「有女仳離。」〈傳〉云：「仳離，別也。」是仳離爲別之代語，因此，聯緜詞的產生，由於語音的緩急，這種例子，應該是不在少數的。

⑶由於肖物發音

孫德謙〈聯緜字淺說〉云：「凡擬物形、肖物聲之字，單字不足以盡象，則以複詞爲之，以求其似。」因此，用聯緜複音詞去模倣自然界的各種聲音和形貌，以加強單音詞所不易表現的聲音感和形象感，如《詩經》中的叮叮、嚶嚶、萋萋、蓁蓁等，應該是很自然的事。

張壽林〈三百篇聯緜字研究〉說：「語言流動不居，單音之字，必不足以盡其概，乃合二字以濟其窮。」他所舉的例子，如離離（〈王風·黍離〉）、流離（〈邶風·旄丘〉），乃是「物體圓者，流轉有聲，音近GULU，初民模倣，以爲稱謂，離離流離，皆以聲得義，引申而成。」又如丁丁（〈周南·兔罝〉）、町疃（〈豳風·東山〉），乃是「衝撞之聲，不出DING DUORG，丁丁町疃，皆取其聲以爲義。」這些說法，都大致可信。

聯緜字產生的原因，除上述三種之外，林語堂先生有複輔音之說，魏建功有複音詞分化之說，孫德宣有方言口語記錄之說，亦皆

可資參考。❼

乙、複合詞的產生

上古時代的漢語，畢竟是以單音詞爲主的，但是，單音之詞，究竟又在何種情況之下，轉易而爲意義保持不變的複合詞？則是值得探討的，約略言之，可分下列幾種情形。

⑴增加義近之詞

單音詞增加義近之詞，以構成複合詞，此種現象，早在周代，已現端倪，許篤仁〈轉注淺說〉❽云：

> 百姓昭明（〈虞書·堯典〉），聖有謨訓（〈五子之歌〉），協和萬邦（〈堯典〉），昏迷於天象（〈胤征〉），罔失法度（〈大禹謨〉），上天孚佑下民（〈商書·湯誥〉），四海困窮（〈大禹謨〉），乃底滅亡（〈五子之歌〉），三曰康寧（〈洪範〉），罔不祇敬（〈太甲上〉），皇帝清問下民（〈周書·呂刑〉），我心傷悲（〈檜·素冠〉），不知稼穡之艱難（〈無逸〉），生我劬勞（〈小雅·蓼莪〉），罔有馨香德（〈呂刑〉），生我勞瘁（〈蓼莪〉），踰垣牆（〈費誓〉），庶幾悅懌（〈頍弁〉），有女仳離（〈王風·中谷〉），薄言還歸（〈周南·采蘩〉）。右方所舉昭明、滅亡、祇敬、馨香、還歸等，皆二字同意，而聯爲一字之用，此

❼ 林語堂先生有〈古有複輔音說〉，收入所著《語言學論叢》。魏建功氏之說見《古音系研究》，孫德宣氏之說見〈聯緜字淺說〉。

❽ 此文收入《說文解字詁林》前編頁二百一十一，〈六書總論〉部分。

虞夏商周用轉注之明證。

許氏所說的轉注，實際都是兩兩意義相近的複合之詞。在先秦古籍之中，除卻許氏所舉的例子之外，還有不少義近之詞複合為複音詞的現象，例如：

《左傳》成公十三年：「文公恐懼，綏靖諸侯。」

《左傳》昭公二十六年：「茲不穀震盪播越，竄在荊蠻。」

《詩·衛風·氓》：「不見復關，涕泣漣漣。」

《論語·憲問》：「為命，裨諶草創之，世叔討論之，行人子羽修飾之，東里子產潤色之。」

《莊子·漁父》：「夫子猶有倨傲之容。」

《孟子·滕文公》：「洪水橫流，氾濫於天下。」

《易·繫辭傳》：「上古穴居而野處，後世聖人易之以宮室。」

《禮記·檀公》：「執干戈以衛社稷。」

《禮記·樂記》：「致禮以治躬則莊敬。」

像以上所舉的恐懼、震盪、涕泣、草創、倨傲等等，都是義近詞複合的例子。另外，在先秦古籍中，還有一種虛詞的複合現象，俞樾《古書疑義舉例》第四十一條「語詞複用例」中，曾經舉出不少例子，像《禮記》：「人喜則斯陶。」斯即則也，《尚書·泰誓》：「尚猶詢茲黃髮。」尚即猶也，《史記·商君傳》「乃遂去之秦。」乃即遂也，《左傳》文公十八年：「庸何傷。」庸即何也，《荀子·宥坐》：「女庸安知吾不得之桑落之下。」庸即安也。像這些現象，都是語詞加添義近詞而成複音詞的例子。

(2)增加詞頭助字

傅孟眞先生在〈漢語改用拼音文字的初步談〉❾一文中曾經說：

> 在古代的漢文裏，已經感覺單音的困難，所以「唐」曰「陶唐」，「夏」曰「有夏」，「周」曰「有周」，都是單音充成複音，更有什麼「語助詞」、「足句詞」，也是救正單音的困難的。

在先秦古籍中，使用「有」作爲詞頭助字的，例子甚多：

《尚書·召誥》：「我不可不監于有夏，亦不可不監于有殷。」
《尚書·皐陶謨》：「何憂乎驩兜，何遷乎有苗。」
《尚書·湯誓》：「有夏多罪，天命殛之。」
《尚書·盤庚》：「盤庚遷於殷，民不適有居。」
《尚書·湯誓》：「有眾率怠弗協。」
《詩經·小雅·巷伯》：「豺虎不食，投畀有北，有北不受，投畀有昊。」
《詩經·邶風·擊鼓》：「不我以歸，憂心有忡。」
《詩經·邶風·靜女》：「彤管有煒，說懌女美。」
《詩經·邶風·谷風》：「有洸有潰，即詒我肄。」
《詩經·邶風·新臺》：「新臺有泚，河水瀰瀰。」

❾ 此文刊於《新潮》第一卷第三號，民國八年出版。

《左傳》昭公二十九年：「孔甲擾于有方。」

《論語·爲政》：「友于兄弟，施于有政。」

以上，都是以那種「有音無義」的「詞頭」，加添於單音詞彙之前而造成複音詞的現象。❿

(3)增加詞尾襯字

先秦古籍中單音詞增加的詞尾襯字，以「子」、「如」、「爾」、「然」等，較爲常見，例如：

《詩經·衛風·芄蘭》：「芄蘭之支，童子佩觿。」

《詩經·小雅·常棣》：「妻子好合，如鼓琴瑟。」

《孟子·離婁》：「胸中正則眸子瞭焉。」

《禮記·檀弓》：「使吾二婢子夾我。」

《易經·屯卦》：「屯如邅如，乘馬班如。」

《易經·屯卦》：「乘馬班如，泣血漣如。」

《詩經·邶風·旄丘》：「叔兮伯兮，褎如充耳。」

《詩經·鄭風·野有蔓草》：「婉如清揚。」

《論語·子罕》：「如有所立，卓爾，雖欲從之，末由也已。」

《論語·先進》：「鼓瑟希，鏗爾，舍瑟而作。」

《論語·先進》：「子路率爾而對。」

《論語·陽貨》：「夫子莞爾而笑。」

---

❿ 此處例證多採自王了一《漢語史稿》及《古代漢語》。

《詩經·邶風·終風》：「終風且霾，惠然肯來。」

《論語·公冶長》：「斐然成章，不知所以裁之。」

《孟子·梁惠王》：「天油然作雲，沛然下雨，則苗浡然興之矣。」

《莊子·大宗師》：「淒然似秋，煖然似春。」

以上，都是單音詞加添詞尾襯字，而造成複音詞的例子。⓫

⑷增加反義之詞

顧炎武《日知錄》卷二十七通鑑注一云：

古人之辭，寬緩不迫，得失，失也，《史記·刺客傳》：「多人，不能無生得失。」利害，害也，《史記·吳王濞傳》：「擅兵而別，多佗利害。」緩急，急也，《史記·倉公傳》：「緩急無可使者。」〈游俠傳〉：「緩急，人所時有也。」成敗，敗也，《後漢書·何進傳》：「先帝嘗與太后不快，幾至成敗。」同異，異也，《吳志·孫皓傳·注》：「蕩異同如反掌。」

顧氏所舉出的現象，雖然都是西漢以後的例子，但是俞樾在《古書疑義舉例》的「因此及彼例」中，也舉出了《禮記·文王世子》：「養老幼於東序。」因老而及幼，非謂養老兼養幼也，〈玉藻〉：「大夫不得造車馬。」因車而及馬，非謂造車兼造馬也，這兩個例子，情況都與顧氏所舉的相同，此外，像《易·繫辭傳》：「鼓之

⓫ 此處例證多採自王了一《漢語史稿》。

以雷霆，潤之以風雨。」因雨而及風，非謂潤之以雨兼以風也，也都可以歸入類似的例子之中。《禮記》爲仲尼弟子及七十子後學者所記，而傳自戴聖，（見《漢書·藝文志》及《隋書·經籍志》）〈十翼〉出自孔子之說，雖不可信，要之，也是先秦的傳書，因此，單音詞加添之詞，成爲複音詞，而卻保持其原先單音詞的意義不變，這種現象，在秦漢以前，應當是存在的。

四、複音詞之作用

甲、聯緜詞方面

劉勰《文心雕龍·物色篇》說：

> 是以詩人感物，聯類不窮，流連萬象之際，沈吟視聽之區，寫氣圖貌，既隨物以宛轉，屬采附聲，亦與心而徘徊，故灼灼狀桃花之鮮，依依盡楊柳之貌，杲杲爲日出之容，瀌瀌擬雨雪之狀，喈喈逐黃鳥之聲，喓喓學草蟲之韻，皎日嘒星，一言窮理，參差沃若，兩字窮形，並以少總多，情貌無遺矣，雖復思經千載，將何易奪。

顧炎武《日知錄》卷二十一〈詩用疊字條〉也說：

> 詩用疊字最難，〈衛詩〉「河水洋洋，北流活活，施罛濊濊，鱣鮪發發，葭菼揭揭，庶姜孽孽」，連用六疊字，可謂複而不厭，賾而不亂矣。古詩「青青河畔草，鬱鬱園中柳，盈盈樓上女，皎皎當窗牖，娥娥紅粉妝，纖纖出素手」，

連用六疊字，亦極自然。

劉氏和顧氏，都一致肯定聯緜詞在文學作品中的作用，以下，將再舉出一些例證，分別說明聯緜詞的積極效用。

⑴摹擬聲音

利用聯緜詞，尤其是疊字形式的聯緜詞，去摹倣自然界的各種聲音，是文學作品中最常見的修辭技巧，下面，就根據《詩經》，舉出一些例子：

〈鄭風·有女同車〉：「佩玉將將。」〈毛傳〉：「將將，鳴玉而後行。」朱子《集傳》：「將將，聲也。」

〈秦風·車鄰〉：「有車鄰鄰。」〈毛傳〉：「鄰鄰，眾車聲也。」

〈小雅·鹿鳴〉：「呦呦鹿鳴。」〈毛傳〉：「呦呦然鳴而相呼。」朱子《集傳》：「呦呦，聲之和也。」

〈小雅·伐木〉：「伐木丁丁。」〈毛傳〉：「丁丁，伐木聲也。」

〈小雅·采芑〉：「八鸞瑲瑲。」〈毛傳〉：「瑲瑲，聲也。」

〈小雅·車攻〉：「蕭蕭馬鳴。」〈孔疏〉：「蕭蕭然馬鳴之聲。」

〈小雅·小弁〉：「鳴蜩嘒嘒。」〈毛傳〉：「嘒嘒，聲也。」

〈小雅·青蠅〉：「營營青蠅。」朱子《集傳》：「營營，往來飛聲，亂人聽也。」

摹音狀聲的聯緜詞，確實可以使得詩歌的音節益加傳神，從而增進作品聲調的美感，是文學作品中不可缺少的要素。

⑵圖寫形象

在文學作品中，利用聯緜詞去摹寫事物的形象，較之單純的狀聲，其事尤難，但是，如能恰當的利用聯緜詞，也能使被圖寫的形貌情景，惟妙惟肖，下面就是一些《詩經》中的例子：

〈邶風·旄丘〉：「狐裘蒙戎。」〈鄭箋〉：「形象蒙戎然。」朱子〈集傳〉：「蒙戎，亂貌。」

〈邶風·新臺〉：「河水瀰瀰。」〈毛傳〉：「瀰瀰，盛貌。」

〈衛風·氓〉：「其葉沃若。」〈毛傳〉：「沃若，猶沃沃然。」朱子〈集傳〉：「沃若，潤澤貌。」

〈唐風·揚之水〉：「白石粼粼。」〈毛傳〉：「粼粼，清澈也。」朱子〈集傳〉：「粼粼，水清石見之貌。」

〈陳風·東門之楊〉：「其葉牂牂。」〈毛傳〉：「牂牂然盛貌。」

〈小雅·四牡〉：「周道倭遲。」〈毛傳〉：「倭遲，歷遠之貌。」朱子〈集傳〉：「倭遲，回遠之貌。」

〈小雅·湛露〉：「湛湛露斯。」〈毛傳〉：「湛湛，露茂盛貌。」

〈小雅·信南山〉：「雨雪雰雰。」〈毛傳〉：「雰雰，雪貌。」

利用聯緜詞去圖畫形象，如果能使人有恍然若在目前的感覺，那便是非常成功的手法。

(3)描繪動作

在文學作品中描繪動作舉止，本來已極不容易，但是，如能善於利用聯緜字的特性，也常常能有意想不到的效果，下面是《詩經》中的一些例子：

〈召南·草蟲〉：「趯趯阜螽。」〈毛傳〉：「趯趯，躍也。」〈鄭箋〉：「草蟲鳴，阜螽躍而從之。」朱子〈集傳〉：「趯趯，躍貌。」

〈衛風·有狐〉：「有狐綏綏。」〈毛傳〉：「綏綏，匹行貌。」朱子〈集傳〉：「綏綏，獨行求匹之貌。」

〈鄭風·清人〉：「駟介陶陶。」〈毛傳〉：「陶陶，驅馳之貌。」

〈齊風·敝笱〉：「其魚唯唯。」〈鄭箋〉：「唯唯，行相隨之貌。」朱子〈集傳〉：「唯唯，行出入之貌。」

〈陳風·東門之枌〉：「婆娑其下。」〈毛傳〉：「婆娑，舞也。」朱子〈集傳〉：「婆娑，舞貌。」

〈小雅·四牡〉：「嘽嘽駱馬。」〈毛傳〉：「嘽嘽，喘息之貌。」

〈小雅·皇皇者華〉：「駪駪征夫。」朱子〈集傳〉：「駪駪，眾多疾行之貌。」

〈小雅·伐木〉：「蹲蹲舞我。」〈毛傳〉：「蹲蹲，舞貌。」

從以上聯緜詞的聲音中，如能透露出鮮明的動作形象，便是聯緜詞描繪動作時的成功表現。

總之，聯緜詞的作用，主要是偏重在文學作品之中，尤其是以疊字形式的聯緜詞爲然。

乙、複合詞方面

⑴能使詞彙意義更加明確清晰

漢語單音詞中，由於同音的詞彙太多，辨認起來，不免困難，古人曾經想出「四聲別義」的方法，利用聲調的不同去區分詞彙的意義，因此，當單音詞僅只具備三四種意義時，四聲別義的方法，確實可爲人們帶來一些便利，但是，漢語中的單音詞，擁有十幾種意義的，比比皆是，對於這種情形，四聲別義的方法是無能爲力的，只有等到單音詞變爲意義相同的複音詞後，這種問題，才算徹底解決，齊佩瑢在《訓詁學概論》中說：

> 漢語因同音的單詞太多，耳治易生誤會，所以除了用後起的四聲別義的方法加以補救外，較古一點區別方法就是把單音詞化爲複音詞。

許篤仁在〈轉注淺說〉一文中也說：

> 例如文句中用「昏」字，易認爲「昏昏」、「黃昏」兩義，

若用重文或同義之文，則文之意義，充足明顯，不僅免於爭執，而晦奧之病可除。

因此，當單音詞變爲複音詞後，它便排除了單音詞意義游移的特性，它的意義，便明確清晰多了，換言之，複音詞的形成，它只能就單音詞原先眾多的意義中，擇取其中的一種意義，這一種意義，一經肯定之後，單音詞原本所具的其他多種意義，便遭受排斥，而不再造成干擾，因此，複音詞的出現，能使詞彙的意義，格外明確清晰，而不致引起混淆。

⑵能使漢語不必大量增加新字

傅孟眞先生在〈漢語改用拼音文字的初步談〉一文中曾經說：

古時有一件事物，便造一個字，打開《說文》便知，到了現在，通用的字不過三千，反沒《說文》裏的多，這都是因爲古人單音的話頭多，今人單音的話頭少。

杜學知先生在〈複詞別義說〉⑫一文中也說：

古初造字，往往有一個意義，即造一字以表之，在古代的社會純樸，人類的思想簡質，一意一字，隨用隨造，尚無不可，到了後來，人類的社會進步，思想發展，如果仍要一意一字，便有造不勝造之勢，所幸有「複詞別義」的辦法，只要意義引申的多了，但分別構成複詞，便可將繁多

---

⑫ 載《大陸雜誌》第二十八卷第七期。

的意義一一表出，這樣，不但阻止了文字的新造，並且更進一步，減少了單字的應用，於是構成漢語以最少的字數表達最複雜意義的功能，單字好像是化學的元素，隨意配合，便可以合成形形色色的物，實爲世界上任何的文字所不及。

漢語中有些單音詞彙，由於意義過於狹窄專門，像「馴，馬八歲也。」「騋，馬七尺爲騋。」「騩，馬淺黑色。」「驪，馬深黑色。」「駹，馬面顙皆白也。」「牭，四歲牛。」「犥，牛黃白色。」（均見《說文》）等等，使用的機會本來不多，字形又較難記憶，漸漸地便被淘汰，原來只用一個字去表示的概念，便逐漸用兩三個字去表示，這種由單音詞轉變爲複音詞及多音詞的現象，早在先秦時代，便已出現，而且，例子也相當普遍了。要之，漢語詞彙在演進過程中，很早就走上造詞（複音詞）而不造字的途徑，這也是使得漢字不致大量增加的主要原因，這也是複音詞另一項重要的作用。

五、結 語

綜合以上所述，提出幾點意見，作爲結語：

①古代漢語中的單音詞，詞義繁富，在辨認方面，確實造成許多不便，但是，單音詞在哲學作品和文學作品中，也產生了一些積極的功用，因此，單音詞所帶給人們的，也並不完全都是困擾和難題。

②複音詞的出現，早在上古時代，即已呈現端倪，迄至先秦以

前，複音詞的發展，已經相當成熟，例子也極爲普遍。

③複音詞的形成，古代漢語詞彙由單音詞演化爲同樣意義的複音詞，也自有其一定的軌迹與途徑，可資遵循。

④複音詞的作用，除增加文學作品的優美程度之外，針對單音詞的多義現象，複音詞也彌補了單音詞意義游移的缺點。

⑤複音詞的出現，也使得古代漢語詞彙，在應用上，更爲靈活，更富變化。

⑥單音詞的特點，在於「簡潔」「經濟」，複音詞的特點，在於「明確」「穩定」，上古的漢語中，雖然是以單音詞作爲基礎，但是，由於複音詞的出現，單音詞與複音詞在「簡潔」和「明確」、「經濟」和「穩定」上，相互配合，取得了極度的「協調」和「平衡」的作用，因而成爲古代漢語詞彙中的兩大支柱。

（此文原刊載於中央研究院《第一屆國際漢學會議論文集》，民國七十年十月出版）

國家圖書館出版品預行編目資料

圖書文獻學論集

胡楚生著. – 初版. – 臺北市：臺灣學生，
2002[民 91]
面；公分

ISBN 957-15-1128-5 (平裝)

1. 目錄學 – 論文，講詞等
2. 圖書學 – 論文，講詞等
3. 文獻學 – 論文，講詞等

010.7 91005501

圖書文獻學論集（全一冊）

著作者：胡楚生
出版者：臺灣學生書局
發行人：孫善治
發行所：臺灣學生書局
臺北市和平東路一段一九八號
郵政劃撥帳號：00024668
電話：(02)23634156
傳真：(02)23636334
E-mail：student.book@msa.hinet.net
http：//studentbook.web66.com.tw

本書局登記證字號：行政院新聞局局版北市業字第玖捌壹號

印刷所：宏輝彩色印刷公司
中和市永和路三六三巷四二號
電話：(02)22268853

定價：平裝新臺幣二〇〇元

西元二〇〇二年四月初版

01003

ISBN 957-15-1128-5 (平裝)

臺灣學生書局出版

文獻學研究叢刊

1. 中國目錄學理論　周彥文著
2. 明代考據學研究　林慶彰著
3. 中國文獻學新探　洪湛侯著
4. 古籍辨僞學　鄭良樹著
5. 兩岸四庫學：第一屆中國文獻學學術研討會論文集　淡大中文系編
6. 中國古代圖書分類學研究　傅榮賢著
7. 馬禮遜與中文印刷出版　蘇精著
8. 來新夏書話　來新夏著
9. 梁啓超研究叢稿　吳銘能著
10. 專科目錄的編輯方法　林慶彰主編
11. 文獻學研究的回顧與展望：第二屆中國文獻學學術研討會論文集　周彥文主編
12. 四庫提要敘講疏　張舜徽著
13. 圖書文獻學論集　胡楚生著